# DAVID SAINT-JACQUES

*La collection* Raconte-moi *est une idée originale*
*de Louise Gaudreault et de Réjean Tremblay.*

Directeur de la collection : Réjean Tremblay
Éditrice-conseil : Louise Gaudreault
Direction littéraire : Jennifer Tremblay
Direction artistique : Julien Rodrigue et
  Roxane Vaillant
Illustrations : Félix Girard
Photo référence pour l'illustration de
  couverture : Agence spatiale canadienne
Design graphique : Christine Hébert
Infographie : Chantal Landry
Révision : Hélène Ricard
Correction : Sylvie Massariol

DISTRIBUTEUR EXCLUSIF :

**Pour le Canada et les États-Unis :**
MESSAGERIES ADP inc.*
2315, rue de la Province
Longueuil, Québec J4G 1G4
Téléphone : 450-640-1237
Télécopieur : 450-674-6237
Internet : www.messageries-adp.com
* filiale du Groupe Sogides inc.,
  filiale de Québecor Média inc.

Catalogage avant publication de Bibliothèque
et Archives nationales du Québec et
Bibliothèque et Archives Canada

Provost, Alexandre, auteur

  David Saint-Jacques / Alexandre Provost

  (Raconte-moi ; 34)
  Comprend des références bibliographiques.
  Public cible : Pour les jeunes

  ISBN 978-2-89754-130-9

  1. Saint-Jacques, David, 1970-  - Ouvrages
pour la jeunesse. 2. Astronautes - Canada -
Biographies - Ouvrages pour la jeunesse.
I. Titre. II. Collection : Raconte-moi ; 34.

TL789.85.S24P76 2018     j629.450092
C2018-941785-4

11-18

Imprimé au Canada

Dépôt légal : 2018
Bibliothèque et Archives nationales
du Québec

ISBN (version papier) 978-2-89754-130-9
ISBN (version numérique) 978-2-89754-152-1

Gouvernement du Québec – Programme de crédit
d'impôt pour l'édition de livres – Gestion SODEC –
www.sodec.gouv.qc.ca

L'Éditeur bénéficie du soutien de la Société de
développement des entreprises culturelles du
Québec pour son programme d'édition.

 Conseil des Arts    Canada Council
du Canada          for the Arts

Nous remercions le Conseil des Arts du Canada de
l'aide accordée à notre programme de publication.

Financé par le gouvernement du Canada    Canada
Funded by the Government of Canada

Nous reconnaissons l'aide financière du
gouvernement du Canada par l'entremise du Fonds
du livre du Canada pour nos activités d'édition.

Alexandre Provost

# RACONTE-MOI
# DAVID SAINT-JACQUES

petit homme
Une société de Québecor Média

# PRÉAMBULE

« Allez, David, tu dois au moins essayer… Tente ta chance de devenir astronaute. S'il te plaît ! Allez ! Allez ! »

David entend sa propre voix. En fait, c'est sa voix de petit garçon qu'il entend. Il se revoit, tout jeune, déjà passionné par l'exploration spatiale.

L'homme a en tête tous les efforts qu'il a déployés. Il a relevé tellement de défis ! Il a toujours fait ce qu'il fallait pour s'approcher de son rêve. Il a toujours pris ce lointain objectif au sérieux, sans savoir si ce but était réaliste, sans la garantie qu'il l'atteindrait. Il se dit maintenant que c'est peut-être enfin possible… Oui, peut-être, enfin possible…

Le petit garçon passionné qui veut visiter l'espace implore l'homme de tenter sa chance. Il lui demande de soumettre sa candidature auprès de l'Agence spatiale canadienne. Du bout des doigts, il touche enfin l'occasion de vivre ce grand rêve. Ce rêve qui l'a guidé, comme un phare guide un navire.

À cet instant précis, David Saint-Jacques est assis dans son bureau de Puvirnituq, dans le Nord-du-Québec. Il vient d'apprendre que, pour la première fois en 15 ans, l'Agence formera de nouveaux astronautes. Il attendait ça depuis si longtemps !

C'est peut-être enfin sa chance de vivre son rêve !

Il laisse aller son imagination. Et si c'était possible ? Il se voit à bord d'une fusée quittant la Terre et déchirant le ciel de tous ses feux...

Il se voit flottant dans l'espace, en train d'admirer notre belle planète à partir de la Station spatiale internationale. Il s'imagine dans la Station, en train de procéder à des tests scientifiques... Il rêve à ce voyage depuis son enfance. Il s'y est toujours préparé, en quelque sorte.

Durant sa journée de travail, entre les visites de ses patients, David songe à quelques reprises à cette possibilité de s'approcher de son rêve de petit garçon.

Il voudrait tenter le coup. Mais si jamais il n'avait pas les qualités nécessaires et qu'il n'était pas recruté? Il n'a pas envie de vivre une telle déception. C'est que, depuis toujours, il est justement allergique à l'échec. Il est habitué à se donner à fond. Il aime aller au bout de ses possibilités. Il veut toujours tout réussir.

David est fébrile. Il est impatient d'en parler à Véronique, sa conjointe. Ils ont plusieurs rêves en commun... Il a hâte de connaître sa réaction. Pour l'instant, toutefois, il doit rester concentré et poursuivre sa journée de travail comme si de rien n'était... Ce sont ses patients qui sont les plus importants actuellement.

David a un grand sens du devoir. Pour lui, un être humain se doit d'être digne de confiance. Il tient cette valeur des astronautes depuis qu'il est tout jeune. Ses patients sont sa priorité.

Durant sa pause du midi, cependant, il a beau résister, son esprit flotte encore une fois en direction des étoiles. Il ne peut s'empêcher de sourire.

Le médecin se remémore la première fois qu'il a pu admirer des photos de la Terre vue de l'espace. Il se revoit, à l'âge de huit ans, fasciné par ces images. David avait adoré cette série de photographies. Elles étaient les premières à montrer la Terre dans toute sa splendeur. Jamais auparavant on ne l'avait vue ainsi, d'aussi loin…

Ces superbes images avaient été immortalisées par un astronaute lors d'une mission spatiale sur la Lune en 1968. C'était dans le cadre d'une des missions Apollo. L'astronaute William Anders les avait prises lors d'une expédition à pied sur le sol lunaire. Il avait utilisé un appareil spécialement conçu pour l'espace. Il faut savoir qu'avant cette mission, jamais un humain n'avait pu voir la Terre photographiée en entier. Avant les missions lunaires, les photographies de la Terre étaient toujours partielles : elles ne montraient qu'une partie de la planète.

Cette nouvelle perspective a permis à l'humain de percevoir la fragilité de sa propre planète. Une toute petite planète pleine de vie, tournant sur elle-même, dans son coin de l'univers.

Lorsqu'il a découvert ces photos dans un magazine, le jeune David a été très impressionné. Il les a montrées à son père. Il voulait savoir à partir d'où elles avaient été prises. Son père lui a alors expliqué :

— Le photographe n'était pas sur Terre. Il était dans l'espace. Il était sur la Lune.

— Oh ! Je veux y aller ! Je veux aller voir ça de là-haut, moi aussi ! Je vais me préparer pour aller en mission !

Comment le jeune garçon, fasciné par des photos de la Terre, a-t-il pu arriver à devenir astronaute ? Comment se sont déroulées les années qui ont mené David vers cet exploit hors du commun ?

# L'AGENCE SPATIALE CANADIENNE RECRUTE

Depuis quelque temps, David pratique la médecine familiale à Puvirnituq, un village en bordure de la baie d'Hudson. Puvirnituk est situé sur le territoire du Nunavik, qui lui-même fait partie de la région du Nord-du-Québec. Il y est cochef du département de médecine. Ce Centre de santé porte le nom d'Inuulitsivik. David adore sa profession. Il est heureux de soigner les patients nunavikois. Il est fier de pratiquer la médecine en zone éloignée. Il veut contribuer à aider ceux qui sont dans le besoin.

Sa conjointe, Véronique, est étudiante en médecine. Elle aussi désire pratiquer en région éloignée. Le couple veut aider la population du Nord-du-Québec, car les besoins en médecine sont criants là-bas. Ils ont cette passion commune de prodiguer des soins de qualité.

Dans les zones éloignées, les biens et les services ne sont pas toujours aussi accessibles que dans les régions urbaines où la densité de population est plus forte. Tout y est plus rare : la nourriture, les vêtements, les divertissements… et les médecins !

Au printemps 2008, l'Agence spatiale canadienne lance un vaste appel de candidatures. Cet appel s'adresse à toutes les Canadiennes et à tous les Canadiens. Les expatriés[1] sont aussi invités à y participer, c'est-à-dire qu'ils peuvent poser leur candidature au même titre que les autres Canadiens.

**Qu'est-ce que l'Agence spatiale canadienne (ASC) ?**

L'Agence spatiale canadienne existe depuis 1989. Cet organisme fédéral canadien est beaucoup plus jeune que la NASA, sa cousine

---

1. Un expatrié est un citoyen qui a quitté son pays pour vivre à l'étranger.

américaine. Elle a été créée lorsque le gouvernement canadien a décidé que la présence du pays dans l'espace était nécessaire. Le Canada participe depuis à la recherche scientifique et à la conquête spatiale. L'ASC concentre ses recherches sur l'observation de la Terre et les télécommunications par satellite. Elle a, de plus, fourni une partie du système de télécommunications de la Station spatiale internationale. Elle a également procuré les principaux systèmes robotiques utilisés pour l'assemblage, l'entretien et le ravitaillement de la Station.

L'objectif de l'Agence spatiale canadienne est de recruter une nouvelle génération d'astronautes. Une fois sélectionnés, ces nouveaux astronautes travailleront pour l'ASC et auront aussi la possibilité d'aller travailler à la National Aeronautics and Space Administration (NASA[2]), aux États-Unis.

---

2.  La NASA est une agence créée vers la fin des années 1950 par le gouvernement américain. Elle est responsable de la recherche et de l'exploration spatiale pour les États-Unis.

La toute première campagne de recrutement de l'Agence spatiale canadienne a lieu en 1983. L'Agence a alors nommé les six premiers astronautes de son histoire. Une femme, Roberta Bondar, faisait partie du groupe. Après la longue formation donnée aux astronautes, elle est devenue, huit ans plus tard, la première Canadienne à se rendre dans l'espace. Elle a participé à la mission STS-42.

La deuxième campagne de recrutement s'est déroulée en 1992. Quatre nouveaux astronautes ont alors été choisis, dont les célèbres Chris Hadfield et Julie Payette. Chris Hadfield a participé à trois missions dans l'espace. Cela correspond au record canadien du plus grand nombre de missions spatiales, record qu'il partage avec Marc Garneau, qui s'est rendu lui aussi dans l'espace à trois reprises. Julie Payette est devenue, en 2009, la première femme canadienne à visiter deux fois l'espace.

C'est en 2008 que la troisième campagne de recrutement d'astronautes de l'Agence spatiale canadienne est donc lancée. David fait partie des 5351 candidats qui tentent leur chance.

Les nouveaux astronautes sélectionnés à la fin de cette campagne auront la chance de se rendre dans l'espace lors des prochaines missions spatiales... Faire partie des privilégiés qui pourront contempler la Terre à partir du cosmos... Qui sait jusqu'où cette aventure pourrait mener David ?

Le processus de sélection va durer plus d'une année. Il sera éprouvant pour tous les candidats. Au terme du processus, l'Agence choisira deux astronautes.

Les chances de devenir astronaute sont minuscules... Les chances de partir dans l'espace le sont encore davantage[3]. Au Canada comme

---

3. Au moment de publier ce livre, la dernière campagne de recrutement de l'Agence spatiale canadienne remonte à 2016. Deux nouveaux astronautes ont été recrutés : Jennifer Sidey et Joshua Kutryk. Dans toute l'histoire spatiale canadienne, seulement 14 astronautes ont été recrutés par l'Agence spatiale. Sur ces 14 astronautes, 8 ont participé à au moins une mission spatiale.

partout dans le monde, les possibilités d'être sé-
lectionné sont vraiment minimes ! Il faut donc que
les candidats se distinguent de façon très évi-
dente, et ce, à plusieurs niveaux.

Se distinguer, c'est exactement ce que David a
fait.

# 2

# L'ENFANCE D'UN EXPLORATEUR

David Saint-Jacques est né le 6 janvier 1970 à Québec. Il a toutefois grandi à Saint-Lambert, sur la Rive-Sud, dans la région de Montréal. Il est le plus jeune d'une fratrie de trois garçons. Les parents de David enseignent tous les deux. Ils passent beaucoup de temps avec leur fils, au grand plaisir de chacun.

Les Saint-Jacques forment une famille unie où chaque membre a tout ce qu'il faut pour s'épanouir. Au sein du foyer, la vie s'écoule sous le signe du bonheur et de l'amour. On y mène une vie très équilibrée. En effet, les parents Saint-Jacques valorisent les études, les sports, les voyages et les arts. Très jeune, David baigne donc dans un terreau fertile où il peut profiter de son enfance pour se découvrir lui-même. Toute forme de connaissance et d'apprentissage y est valorisée. Comme ils sont tous les deux enseignants, les parents passent du temps avec leurs garçons durant l'été. De plus, ils sont en mesure de les aider dans leurs études.

La mère de David enseigne l'histoire au niveau secondaire, tandis que son père enseigne la physique à l'université. Ses parents sont des sources de savoir et de transmission de connaissances très importantes.

Sans aucun doute, ils ont remarqué que David manifeste un grand appétit de vouloir tout comprendre du monde qui l'entoure.

C'est durant sa jeunesse que David prend son envol en tant que futur explorateur. Cet appel de l'aventure et de la découverte, il l'a hérité en partie de ses parents. Chez la famille Saint-Jacques, on aime beaucoup explorer !

En effet, dès l'enfance et jusqu'à l'adolescence, accompagné de ses parents et de ses frères, il a la chance de séjourner plusieurs fois en Europe. Durant les années 1980, pendant les vacances, David et sa famille sillonnent la majeure partie de ce qu'on appelle le « Vieux Continent ».

Ils voyagent en autocaravane durant tout l'été. Ils répéteront cette expérience pendant plus d'une quinzaine d'années. Adolescent, David aura déjà visité la plupart des pays européens.

Lors de ces périples inoubliables, il ressent une incroyable sensation de liberté. Il adore les nouvelles découvertes que ces voyages lui permettent de faire. Ces expéditions sont toujours pleines de rebondissements et de surprises. Partir à l'aventure devient ainsi naturel pour lui. Il est un vrai globe-trotter. Cet esprit aventurier ne le quittera plus. Cela sera très formateur pour lui, et ce, sur plusieurs plans.

Durant ces voyages, David contemple de nouveaux paysages, tous plus beaux les uns que les autres... Il va également à la rencontre de nouvelles cultures. Il aborde les gens et il découvre la richesse des différences entre les peuples. Il constate également que, d'un pays à l'autre, il y a beaucoup plus de similitudes que de différences dans les manières de vivre. Il développe son ouverture sur le monde.

La famille Saint-Jacques parcourt des milliers de kilomètres. À travers ces périples, David acquiert la conviction que les êtres humains sont tous frères et sœurs malgré les frontières qui séparent les pays.

David apprend aussi de nouvelles langues. Il a la chance de les assimiler directement dans le quotidien, dans les contrées où elles sont parlées. Il s'exerce avec les gens qu'il croise. Même s'il ne maîtrise pas parfaitement toutes ces langues, ou qu'il ne connaît parfois que quelques mots de vocabulaire, il tient à essayer de communiquer.

Ces voyages en Europe sont au cœur du parcours de David. Ce besoin de voir le monde et d'aller à la rencontre de son prochain demeurera au centre de sa vie personnelle et professionnelle.

Plus tard, il sentira le
besoin de partir de
temps en temps pour
découvrir un nouveau
coin de pays, une
nouvelle culture. Par
la suite, chaque étape
de sa vie sera ponctuée de
voyages qui l'amèneront de plus en plus loin de la
maison de Saint-Lambert où il a grandi...

*** 

Au moment où David est un jeune garçon, Internet n'existe pas. Pas plus que les chaînes de télévision spécialisées, qui ne sont pas encore appa-
rues sur les écrans de télé du Québec. C'est par
la lecture que David doit assouvir son besoin
d'apprendre. C'est ainsi que le savoir a été principalement accessible jusqu'à la fin des années 1990,
par les livres et les magazines. David est toujours
à la recherche de nouvelles lectures qu'il pourra
dévorer. Lire devient un grand plaisir pour lui.

Bien que le garçon passe beaucoup de temps à lire, ce n'est pas sa seule passion. Ses parents lui ont également transmis le goût des sports et du plein air. Dès son plus jeune âge, David est un garçon très actif.

En fait, toute la famille Saint-Jacques est active.

Alors qu'il a 10 ans, David accompagne son père pour une randonnée de ski de fond à Sutton, en Estrie. Ils gravissent ensemble le mont Round Top. Le sommet culmine à près de 1000 mètres et son accès est plutôt difficile. Cette montagne possède un fort dénivelé[4]. David et son père font une excursion de ski hors piste. C'est-à-dire qu'ils se déplacent en ski de fond, mais à l'extérieur des sentiers balisés. C'est un beau défi pour un garçon de 10 ans !

Lors de cette expédition, David se transforme en véritable explorateur. En pleine forêt, l'hiver, dans

---

4. Il s'agit de la différence d'altitude ou de niveau entre deux points.

un lieu aussi isolé, le son est feutré. Il s'opère une forme de magie. On se sent seul au monde. La neige sur les arbres et la blancheur étincelante transforment le paysage en un endroit féerique. À cet instant, David et son père ne font qu'un avec la nature.

À chaque mouvement de glisse vers l'avant, David se sent de plus en plus libre. C'est une aventure au vrai sens du mot. Son père et lui inventent leur parcours au gré de leur fantaisie. Ils doivent s'adapter aux obstacles qu'ils rencontrent. Les oiseaux sont les seuls témoins de leur épopée. David ressent un incroyable sentiment de liberté. Avancer ainsi vers l'inconnu lui procure des sensations qu'il n'a jamais ressenties.

C'est un moment important pour lui. Cette expédition marque son imaginaire de jeune garçon. Il se sent audacieux et courageux. Il apprend à explorer et à repousser ses limites. David n'a jamais oublié cette excursion avec son père. Il y repense souvent et elle aura toujours une place importante dans son cœur.

Toute sa vie, David cherchera à vivre et à ressentir de nouveau ces sensations intenses. Peu à peu, son désir de tout comprendre se développera en parallèle de cette nouvelle passion d'explorer. Il tentera désormais de toujours repousser les frontières du savoir et du voyage.

À la base de ce besoin de découvrir, il y a la curiosité intellectuelle. David est de ceux qui veulent aller au fond des choses. La soif d'apprendre est une grande source de motivation chez lui. Elle ne le quittera jamais... Elle est devenue pour lui un outil.

Dans son coffre d'élève, il y a un autre outil très important : le désir de travailler avec rigueur. Durant ses études secondaires au Collège de Montréal, David n'hésite pas à mettre les efforts qu'il faut pour réussir. Il sait très bien que pour réaliser ses rêves, il doit performer durant ses études. Il ne laisse rien au hasard. Son objectif est d'exceller à tous points de vue.

*\*\**

Comme il est né en 1970, David n'a donc pas vu, à la télévision, l'astronaute Neil Armstrong fouler le sol lunaire en juillet 1969. À l'époque, la conquête de la Lune avait impressionné des millions d'enfants dans le monde entier. Mais cela n'empêche pas David de dévorer tout ce qui s'est écrit sur les missions Apollo !

Inspiré, entre autres, de ces fameuses images de la Terre captées depuis la Lune, David découvre peu à peu le métier d'astronaute. L'exploration de l'espace devient une passion pour lui. Il s'y intéresse à un point tel que cette passion se transforme en objectif. C'est un peu comme si ce but devenait une destination vers laquelle il décide de s'approcher pas à pas.

Même s'il sait que ce rêve est pratiquement impossible à atteindre, David décide tout de même d'y aspirer. Ça peut sembler défaitiste de sa part, au premier abord, mais il n'en est rien. Il faut se rappeler qu'à cette époque, le Canada n'avait jamais encore formé d'astronautes : la formation d'un corps d'astronautes se réalisera plus tard.

Cette dure réalité assombrit un peu le rêve de David. Mais l'importante discipline des astronautes l'inspire tout de même assez pour lui permettre de se concentrer sur l'atteinte de son objectif. Il est stimulé par les valeurs qu'ils incarnent. Aux yeux de David, ces explorateurs de l'espace débordent de courage. Ils se préparent pour leurs missions avec rigueur et discipline. Sans oublier, de plus, qu'ils sont souvent des scientifiques accomplis. Plusieurs d'entre eux peuvent même piloter des avions de chasse !

Pour David, ce sont de véritables aventuriers des temps modernes. Leur curiosité sans bornes n'a d'égal que leur sens du devoir et des responsabilités. Bref, David considère que les astronautes sont des modèles à suivre. Vu les valeurs qu'ils incarnent, il estime qu'ils sont dignes de confiance. Alors, il s'en inspire !

Chaque fois qu'il doit faire un choix, même banal, David se demande ce qu'un astronaute ferait s'il était à sa place...

De fil en aiguille, passant du Collège de Montréal au cégep, puis du cégep à l'université, David obtient d'excellents résultats scolaires. Vient alors le temps de prendre de grandes décisions, de choisir dans quel domaine il veut poursuivre ses études.

3

# LES ÉTUDES ET LE TRAVAIL
# À L'ÉTRANGER

Le père et le grand-père de David sont ingénieurs. Ils ont tous les deux étudié à l'École polytechnique de Montréal. Quoi de plus naturel alors pour David que de suivre cette voie? Il s'inscrit donc lui aussi à l'École polytechnique. Il obtient son diplôme d'ingénieur quelques années plus tard.

L'ingénierie est un métier très technique, et la profession d'ingénieur est par le fait même très encadrée. Il s'agit d'une profession régie par un code déontologique[5].

On peut décrire ainsi l'ingénieur : « Personne que ses connaissances rendent apte à occuper des

---

5. La déontologie est l'ensemble des règles et des obligations qui régissent une profession. Elle encadre aussi les rapports entre cette profession et le public.

fonctions scientifiques ou techniques actives en vue de prévoir, créer, organiser, diriger, contrôler les travaux qui en découlent, ainsi qu'à y tenir un rôle de cadre. »

Les ingénieurs doivent souvent inventer de nouvelles technologies. Ils sont impliqués dans l'innovation technique sous toutes ses formes. Les études de David à l'École polytechnique lui ont permis de devenir ingénieur physicien. Une fois sa formation terminée, un ingénieur physicien est en mesure d'élaborer et de réaliser des équipements de haute technologie. Ce genre d'équipements utilise les propriétés de la physique comme les ondes radio, les micro-ondes, les rayons X et les radiations électromagnétiques.

Ce type d'ingénieur doit aussi être apte, au besoin, à planifier, à gérer ou à améliorer des procédés de fabrication dans les domaines scientifique, technologique ou industriel. Il s'agit donc d'une profession qui permet à celle ou celui qui la pratique de devenir très polyvalent.

Après avoir réussi ses études d'ingénieur, David quitte Montréal pour Paris, en France. Il a obtenu un poste dans une entreprise québécoise qui y fait des affaires. Il se joint à une équipe qui élabore et réalise la conception d'équipement de radiologie. Cet équipement est destiné au département de l'angiographie de l'hôpital Lariboisière, à Paris.

\*\*\*

Après quelque temps, David décide de retourner aux études. Il refait donc sa valise et reprend la route. Cette fois-ci, il s'inscrit à la célèbre Université de Cambridge, en Angleterre. Cette école universitaire a été fondée en 1209! Elle est la quatrième plus ancienne université au monde. Elle se classe régulièrement parmi les meilleures universités à l'échelle mondiale.

Le jeune Québécois décide d'y entreprendre un doctorat en astrophysique. L'astrophysique est une branche de l'astronomie qui se concentre, entre autres, sur l'étude de la physique et l'étude des objets de l'univers tels que les planètes, les galaxies et les étoiles.

Au grand plaisir de David, ces études lui permettent de voyager. Il visite alors le Japon et Hawaï. Il y travaille sur des lentilles de puissants télescopes. Son travail consiste à réduire au maximum les effets de distorsion visuelle causés par l'utilisation de lentilles, cela afin de rendre les télescopes encore plus performants.

Quelques années plus tard, David retourne de nouveau à l'université. Il veut y suivre une formation en médecine. Au moment de relever ce nouveau défi, il désire placer l'humain au cœur de ses études et de sa démarche. Il a envie d'utiliser la science afin de la mettre au service de son prochain.

\*\*\*

David est un homme de cœur. Il a toujours senti qu'il avait le devoir de se consacrer à l'humanité entière. C'est ainsi qu'à la fin de ses études de médecine, il décide de réaliser ses stages dans des endroits du globe où les populations vivent des crises humanitaires. Il entreprend alors des démarches pour faire ses stages de médecine de première ligne dans des camps de réfugiés[6].

Il y constate de ses propres yeux les dommages sur les humains causés par les conflits politiques et la guerre. Lors de ces stages, il est touché par la tristesse et la douleur que vivent les populations en détresse. Il participe à la collaboration internationale de l'aide humanitaire en prodiguant des soins aux réfugiés. Il aimerait comprendre les raisons profondes qui font naître les conflits entre les peuples. C'est important pour le futur médecin de faire sa part pour le bien des réfugiés.

David se rend, entre autres, au Liban, dans un camp de réfugiés palestiniens. Il prodigue des soins à des personnes qui sont parmi les plus vulnérables du

---

6. Un réfugié est quelqu'un qui a dû quitter son pays d'origine, où il était menacé de mort, et qui est accueilli dans un autre pays.

monde. Les dangers qui les guettent dans leurs pays d'origine sont terribles. C'est ainsi que, souvent, les pays limitrophes du pays en guerre ouvrent les portes de leurs frontières afin de protéger ces personnes en détresse. Généralement, on les accueille dans d'immenses tentes qui font office de maison. Les conditions de vie y sont très difficiles.

Parfois, les gens qui s'y entassent sont blessés. Souvent, ils souffrent de malnutrition. Plusieurs d'entre eux sont affectés sur le plan psychologique par les drames qu'ils ont vécus. Il n'est pas rare qu'ils aient le cœur déchiré par la perte d'êtres chers. Dans la majorité des cas, ces réfugiés de guerre ont dû abandonner leurs emplois, leurs amis, leurs maisons et leurs familles.

David a énormément de compassion et de respect pour ces personnes qui vivent ce type de grande détresse :

« Je suis toujours impressionné par ceux qui doivent faire face à une extrême adversité – maladie grave, guerre, catastrophe – et qui arrivent à

rester sereins malgré tout. J'admire sincèrement ceux qui démontrent de la résilience, qui trouvent un sens à leur vie en dépit de tout le non-sens qu'ils peuvent vivre. Sauver le bonheur, c'est vraiment héroïque. »

Offrir du réconfort et des soins médicaux à ces réfugiés aura été une étape essentielle dans la vie de David. Remplir ce rôle lui aura appris à mesurer en profondeur le sens du travail accompli dans un esprit de compassion envers son prochain.

La Terre est découpée par des frontières qui provoquent parfois, malheureusement, des guerres et des conflits armés entre les nations. David aimerait voir la planète de là-haut, de la Station spatiale internationale. Il pourrait enfin l'admirer comme elle devrait être réellement, sans frontières. La Terre, notre vaisseau à nous, celui de tous les humains. Vaisseau à bord duquel nous pourrions tous trouver ce dont nous avons besoin… Il suffirait que l'être humain apprenne à mieux gérer les ressources de la planète et à les partager avec son prochain.

# 4

# DAVID ET... 5351 AUTRES CANDIDATS

Dès qu'il met les pieds dans la maison, David se plante devant Véronique, un immense sourire accroché au visage :

— Véro, tu sais quoi ? Le Canada va recruter de nouveaux astronautes... Ça fait 16 ans qu'il n'y en a pas eu de nouveaux ! Tu te rends compte !

Véronique est soufflée...

— Ben voyons ! C'est génial, ça ! Comme je te connais, tu dois déjà avoir envoyé ton CV !

Sans l'entendre, David continue de rêver tout haut...

— L'Agence spatiale canadienne lance une nouvelle campagne de recrutement ! C'est incroyable...

— David! As-tu envoyé ton CV? Quand se feront les entrevues?

— Mais non, j'attendais de t'en parler... Tu sais comme c'est important pour moi. Je voudrais tellement tenter ma chance!

— Vite! Tu sais bien ce que j'en pense! Je suis fière de toi, et c'est certain que je vais t'aider. Allez, monsieur l'astronaute, maintenant, au travail!

— Je suis encore sous le choc. J'ai de la difficulté à y croire... Le Canada va nommer de nouveaux astronautes!

— C'est génial, David! Je suis certaine que tu seras choisi. Tu as un parcours incroyable. En tout cas, tu dois tenter ta chance!

La décision est prise: David va poser sa candidature officielle à l'Agence spatiale canadienne pour devenir astronaute.

Peu de temps après, il reçoit une lettre lui annonçant qu'il est officiellement dans la course ! Il fait partie des candidats retenus. Bonne nouvelle ! Il n'est pas encore dans l'espace, mais il flotte quand même sur un nuage...

Toutefois, il sait que le processus de sélection ne sera pas une partie de plaisir. Il prend ça très au sérieux. Il ne veut pas manquer son coup !

En effet, les 12 mois suivant la mise en candidature de David en tant qu'astronaute seront épuisants. La liste des étapes est longue et les épreuves sont très exigeantes. En plaçant la barre aussi haut, les responsables de l'Agence spatiale canadienne visent à recruter l'élite parmi les candidats. Ces sélectionneurs n'ont pas droit à l'erreur.

\*\*\*

Dès le départ, David se prête à l'exercice en donnant le meilleur de lui-même. Il est prêt à tout.

La sélection des futurs astronautes se déroulera en plusieurs étapes. D'abord, chaque candidat doit remplir deux très longs formulaires. Ensuite, les responsables de l'Agence spatiale lisent attentivement leurs réponses et font un premier tri. Leur objectif : trouver les futurs astronautes parmi les 5351 Canadiens qui participent au processus.

Sur ces milliers de Canadiens qui ont posé leur candidature, il n'en restera que 79 dans la course quelques semaines plus tard.

Les décideurs de l'Agence spatiale canadienne sont à l'affût de candidats présentant des aptitudes qu'ils jugent essentielles :

- Faire preuve d'un excellent jugement.
- Être intègre.
- Raisonner efficacement.
- Travailler en équipe avec succès.
- Savoir vulgariser.
- S'exprimer publiquement avec brio.
- Être très motivé.
- Avoir un sens aigu de la débrouillardise.

Les candidats viennent des quatre coins du Canada. Certains vivent à l'extérieur du pays.

Après la première ronde d'élimination, la deuxième étape consiste à rencontrer individuellement les 79 personnes retenues afin de les interviewer. L'objectif est de mieux les connaître pour ainsi procéder à une nouvelle sélection.

Grâce à ces entrevues, les sélectionneurs sont en mesure de distinguer et de retenir la candidature de ceux qui détiennent le potentiel de devenir astronaute. À la suite de cette première ronde d'entrevues, il ne reste que 49 candidats qui semblent posséder les aptitudes particulières que l'on recherche.

Les évaluateurs de l'Agence spatiale canadienne soumettent chacun des candidats à des tests médicaux poussés. L'objectif, cette fois-ci, est de retenir ceux qui présentent les meilleurs bilans de santé. Pour devenir astronaute, il faut avoir une santé à toute épreuve !

La batterie de tests est impressionnante. La santé de chacun des candidats est examinée minutieusement. Les médecins et les scientifiques qui font partie du jury de sélection analysent chaque détail. Rien ne leur échappe. Ces tests s'apparentent à ceux que doivent régulièrement réussir les pilotes d'avion de chasse. En plus de faire un examen du cœur et du cerveau de chaque candidat, on évalue aussi ses capacités motrices et physiques.

À la suite de ces examens médicaux, les scientifiques de l'Agence spatiale canadienne procèdent à une nouvelle sélection : ils remercient 10 candidats et en conservent 39. On peut imaginer la déception de ces 10 personnes auxquelles on annonce que leur rêve de devenir astronautes ne se réalisera sans doute jamais !

*** 

L'intensité du processus de sélection monte d'un cran. Une importante nouvelle étape débute.

David tient bon. Il est déjà satisfait de faire partie de ce groupe de 39 finalistes. Il est fier de ce qu'il a accompli jusque-là.

Il est conscient que son rêve est désormais un peu plus à sa portée. Il peut réussir; cela, au fond de lui, il le sait. Mais, en même temps, il tente de ne pas se faire d'illusions. David doit rester concentré. Il sait très bien que la partie est loin d'être gagnée.

David opte pour une stratégie qui consiste à se concentrer et à se donner à fond à chacune des étapes. Il veut absolument aller jusqu'au bout du processus sans rien avoir à se reprocher.

\*\*\*

La prochaine étape amène David à participer à un «camp de recrues» dont l'objectif est de découvrir les aspirants astronautes sous de nouvelles facettes. On veut maintenant savoir quelle est leur résistance physique à l'effort. On va mesurer tant leur puissance musculaire que leur endurance physique.

Encore une fois, David se qualifie dans le groupe des candidats sélectionnés. Il est dans une forme physique exemplaire, car il pratique plusieurs sports. L'hiver, le ski de fond et le ski alpin font partie de ses activités préférées. L'été, il s'adonne souvent à la voile, il fait de la course à pied ainsi que de l'escalade. La course fait justement partie de la liste des tests physiques que doivent subir les 39 candidats.

Les sélectionneurs se rendent compte bien rapidement que David Saint-Jacques est en pleine forme.

\*\*\*

On invite alors les candidats à passer à la piscine pour une série de nouveaux tests. On les soumet à plusieurs exercices dans l'eau afin de valider leur agilité. Cette étape est essentielle, car les astronautes passent plusieurs heures dans l'eau lorsqu'ils s'entraînent pour les éventuelles missions spatiales. Ce type d'entraînement sous l'eau est une des meilleures façons de simuler l'effet de l'apesanteur.

L'apesanteur, c'est l'absence totale de gravité. Dans l'espace, il n'y a pas de gravité. L'attraction terrestre qui nous permet de garder les pieds sur terre n'y existe pas. En état d'apesanteur, le corps humain ne pèse plus rien. C'est pourquoi les astronautes flottent dans l'espace. À l'aide de différentes techniques, ils se préparent donc à vivre cette expérience extraordinaire.

En plus des exercices en piscine, d'autres épreuves sont prévues afin de sélectionner les candidats qui présentent les meilleures aptitudes. La liste suivante indique les habiletés qui sont très recherchées par les recruteurs de l'Agence spatiale canadienne :

- La mémoire ;
- Le raisonnement ;
- La concentration ;
- L'orientation spatiale ;
- La coordination œil-main ;
- La dextérité manuelle.

L'intensité de ces épreuves contribue évidemment à réduire une autre fois le groupe d'aspirants. En février 2009, ils ne sont plus que 31 à garder l'espoir d'être choisis par l'Agence spatiale canadienne.

David sait qu'il est maintenant temps pour lui de performer à cent pour cent. Il est contraint à l'excellence s'il veut se donner la chance de devenir officiellement astronaute.

*\*\**

La prochaine série de tests physiques est encore plus exigeante que la précédente. Certains candidats commencent à battre de l'aile… Ce n'est toutefois pas le cas de David.

Chacun des candidats est testé sous des conditions de plus en plus extrêmes. Lors de simulations, ils sont placés dans le contexte d'une situation d'urgence. L'objectif est de connaître leur résistance au stress. De cette façon, on peut en savoir un peu plus sur leur réaction en situation d'urgence.

La raison pour laquelle on leur fait vivre ce type de situations est que l'espace est un environnement hostile. La moindre erreur mettrait la vie des astronautes en danger. Chaque aspirant astronaute doit donc être en mesure de prouver qu'il est apte à réagir rapidement et efficacement lors de ces circonstances extrêmes.

Une des épreuves que doit réussir David consiste à s'échapper d'un hélicoptère s'abîmant en pleine mer. Chaque aspirant doit sortir du simulateur d'hélicoptère à trois reprises. Chaque simulation d'écrasement est plus difficile que la précédente. On veut vraiment pousser les candidats au bout de leurs limites.

Le simulateur duquel doivent fuir les compétiteurs imite le cockpit d'un hélicoptère. Une grue le laisse tomber dans une grande piscine afin de simuler la chute en mer. Grâce à des machines spéciales qui lui donnent du mouvement, l'eau de la piscine est aussi agitée que l'est la mer durant une véritable tempête.

Chacun leur tour, les compétiteurs doivent réussir à sortir du cockpit une fois qu'il est sous l'eau, pas avant, sinon ils perdent des points. Les organisateurs et les sélectionneurs observent avec attention les participants. Ils veulent déterminer lesquels sont les plus rapides et les plus habiles. Leur travail consiste à trouver les meilleurs. Par exemple, ils prennent en compte le temps de réaction des candidats lorsqu'ils se réorientent sous l'eau après la chute.

La scène est très impressionnante. Il faut une bonne dose de courage pour vivre ces épreuves. Certains candidats sont de toute évidence poussés hors de leurs limites personnelles. Pour terminer la journée, on simule un autre type de naufrage en mer. Tout d'abord, on demande aux aspirants de sauter dans l'eau agitée de la piscine du haut d'une passerelle de huit mètres… Encore une fois, chaque candidat doit démontrer sa force de caractère et faire preuve de sang-froid.

Vous l'aurez deviné : de chacune de ces simulations, David Saint-Jacques s'en sort haut la main. On peut penser que sa passion pour la voile lui aura été utile. En tant que navigateur, il a sans doute plus d'une fois fait face à des eaux agitées et à des vents violents.

Mais cela ne s'arrête pas là...

\*\*\*

Le groupe se dirige maintenant vers Halifax. La suite des épreuves aura lieu à l'École de génie naval des Forces canadiennes ; plusieurs sont prévues au programme.

Les candidats vont devoir performer lors de simulations de déversements de produits toxiques. Ils doivent montrer de quoi ils sont capables en matière de sauvetage. Il y aura également des inondations simulées. Ils devront réagir rapidement afin de colmater une fuite d'eau glacée.

Ils seront aussi placés en situation d'incendie. Chacun d'eux devra garder son sang-froid et démontrer sa capacité d'user de son jugement tout au long de cette épreuve. Au cours de celle-ci, le travail d'équipe prend beaucoup d'importance. Les candidats doivent réagir en petit groupe de manière efficace afin d'éteindre rapidement le feu qui se propage.

Lors de ces simulations, on veut tester la résistance des candidats alors qu'ils sont en situation potentielle de fatigue et d'hypothermie. Les recruteurs analysent de surcroît la capacité de chacun à faire preuve de leadership et d'esprit d'équipe.

Encore une fois, David se distingue et fait sa place parmi les meilleurs. Une de ses forces est sa faculté de travailler en équipe durant les moments de crise. Comme il est calme et rassembleur, il s'impose naturellement en tant que leader.

\*\*\*

En mars 2009, à la fin de toutes ces épreuves, David fait partie du groupe restreint des 16 finalistes émérites. Soit ceux qui ont réussi à se qualifier pour la finale, en quelque sorte. Le processus par lequel ils sont passés a été éprouvant. Ils peuvent être fiers d'eux-mêmes puisqu'ils sont parmi les meilleurs des 5351 candidats. Ils ont été plus performants que 99,7 % des participants!

S'ensuit maintenant un tout nouveau type de défi, lié au domaine des communications, cette fois-ci. Le métier d'astronaute implique une énorme part de vulgarisation et de relations publiques. En effet, les astronautes sont souvent invités à décrire publiquement en quoi consistent les missions et l'exploration spatiales. Chaque aspirant doit concrètement faire la preuve qu'il est en mesure de représenter l'Agence spatiale canadienne de façon exemplaire dans le cadre de son travail. Devant les membres du comité de sélection, chacun doit donc livrer une présentation orale.

David se prête au jeu avec plaisir. Il est très naturel devant les membres du jury. Il s'exprime avec facilité lors de sa présentation. Il fait preuve d'un talent certain quand vient le temps de capter l'attention de son auditoire.

\*\*\*

Après cette ultime étape de qualification, chacun des aspirants astronautes doit réaliser une dernière entrevue en rencontrant individuellement le comité de sélection.

À ce point-ci du marathon d'évaluations, les candidats ont déjà passé plusieurs mois à vivre une multitude d'émotions. Ils ont surmonté toutes sortes d'épreuves incroyables. Ils sont passés par une batterie de tests et de simulations impressionnante. Même pour ceux qui ne seront pas retenus, l'expérience, bien qu'éprouvante, aura été très enrichissante.

Après cette dernière ronde, les sélectionneurs prennent le temps de délibérer entre eux. Ils veulent tout revoir depuis le début. Les premiers tests remontent à déjà plus d'un an! Tous les résultats des candidats sont passés au peigne fin. Après ce travail minutieux, les sélectionneurs sont prêts à faire connaître les noms de ceux qui deviendront les nouveaux astronautes canadiens.

On demande alors à tous les finalistes de se rendre à l'Agence spatiale canadienne pour le grand dévoilement. Durant cette assemblée, les retrouvailles sont chaleureuses. Les candidats s'échangent poignées de mains et accolades. Un des responsables de la campagne de recrutement prend la parole ; il remercie et félicite chaudement chacun des aspirants. C'est un moment très émouvant. Ensuite, vient le temps d'annoncer le nom des nouveaux astronautes. Il y a de la fébrilité dans l'air... Les deux candidats retenus sont : Jeremy Hansen et... David Saint-Jacques !

On peut facilement imaginer l'euphorie qui s'empare de Jeremy et de David lorsqu'ils apprennent en mai 2009 qu'ils sont les deux nouveaux astronautes sélectionnés par l'Agence spatiale canadienne ! Pour la première fois depuis 1973, année de la première campagne de recrutement, seulement deux astronautes sont nommés.

Une grande conférence nationale est alors organisée. Déjà, David et Jeremy doivent préparer leurs allocutions respectives. Ils devront les communiquer devant les médias et les employés de l'Agence spatiale. Cette conférence aura lieu dans la grande rotonde de l'Agence spatiale canadienne, située à Longueuil. Une invitation est envoyée aux médias nationaux. Sur l'invitation, on annonce la conférence, mais le nom des nouveaux astronautes n'est pas encore dévoilé. On garde la surprise jusqu'à la conférence de presse.

# 5

# UN HÉROS NATIONAL

C'est le 14 mai 2009 que Steve MacLean, le président de l'Agence spatiale canadienne, présente de façon officielle David et Jeremy Hansen aux médias ainsi qu'à leurs collègues de l'Agence spatiale. Suivent les allocutions des deux nouveaux astronautes canadiens.

Après cette nomination, David est invité de nombreuses fois à apparaître publiquement. Une foule incroyable de médias canadiens veulent le rencontrer : les stations de radio, les journaux, les chaînes de télévision, etc. Il participe, dès sa nomination, à plusieurs points de presse, conférences de presse et entrevues. Il devient, un peu malgré lui, une vedette.

De nombreux Canadiens veulent maintenant découvrir qui est le phénomène David Saint-Jacques. Pour la majorité d'entre nous, David est dans une

classe à part. Les journalistes et les animateurs alimentent sa popularité en le faisant connaître à tous les citoyens canadiens. Il devient une sorte de héros national. Mais lui ne se considère pas du tout comme un héros... Il est plutôt un homme affable et humble.

David est invité à des émissions de type talk-show[7]. Il apparaît quelques fois en direct à la télévision.

Lors d'une des émissions *Bons baisers de France*, l'animatrice, France Beaudoin, lui pose plusieurs questions qui brûlent les lèvres des Québécois et des Canadiens. Elle lui pose même LA question que nous nous posons depuis toujours :

— Y a-t-il de la vie dans l'Univers ailleurs que sur Terre, David Saint-Jacques ?

---

7. Un talk-show est une émission télévisée dirigée par un animateur qui discute de sujets divers avec une ou plusieurs personnes invitées à la fois.

Et David de lui offrir une réponse à la fois sérieuse et humoristique :

— Je trouve que s'il n'y en a pas, c'est un énorme gaspillage d'espace !

***

David contribue à la popularisation des sciences. Il fait aussi de la vulgarisation afin de faire connaître l'exploration spatiale. Par exemple, il considère que les vastes champs de connaissances que sont la physique, les mathématiques et les sciences en général sont parmi les plus grandes réalisations humaines.

Comme il l'explique si bien, ces disciplines permettent à l'homme de comprendre son univers en général. Elles l'aident aussi à comprendre une multitude d'autres aspects de la vie. La science nous offre ainsi plusieurs outils pour interpréter le monde dans lequel nous vivons. Par exemple, grâce à l'astrophysique et à l'astronomie, il est possible pour les scientifiques d'expliquer d'où vient la

Terre. Ces disciplines nous apprennent aussi comment l'Univers continue de se développer.

On peut faire un parallèle entre la compréhension abstraite du monde et l'exploration spatiale grâce aux sciences. La découverte du cosmos est possible grâce aux technologies, mais aussi grâce à toutes les recherches scientifiques qui les ont créées.

Autrement dit, l'exploration spatiale dépend directement des avancées de la science. Pour que l'humanité puisse s'aventurer encore plus loin dans l'espace, elle doit aussi progresser en matière de recherche.

En avril 2018, David est de nouveau invité à un talk-show. Il se rend au studio de l'émission *Tout le monde en parle* afin de participer à son enregistrement. Lors de son entretien avec Guy A. Lepage, David explique comment a pu se développer la civilisation humaine.

Il raconte qu'au début de son histoire, l'humain vivait dans des cavernes, puis qu'il a fini par les quitter pour aller découvrir autre chose. Par la suite, l'humain est allé de découverte en découverte. La volonté de l'humain d'aller toujours plus loin pour explorer est un besoin inné, c'est-à-dire qu'il vient au monde avec ce besoin, que rien ne peut réprimer.

Cette pulsion d'aller plus loin a comme effet d'engendrer une quête. Celle de trouver et de mettre au point les moyens techniques et scientifiques nécessaires pour réaliser l'avancée souhaitée.

David Saint-Jacques explique que l'objectif de se rendre sur Mars constitue une nouvelle étape que désire franchir l'être humain. Ainsi, des scientifiques comme lui et comme tous ceux qui travaillent dans le domaine de l'exploration spatiale vont se surpasser afin de se rapprocher de cet objectif commun. Ils vont tout faire afin de trouver des solutions pour atteindre ce but.

Il existe aussi des objectifs plus personnels et David en parle souvent lors de ses apparitions publiques. David croit qu'il est essentiel que chacun de nous chérisse ses rêves et ses passions. Selon lui, ils sont puissants car ils nous attirent vers un but. La réalisation d'un rêve est un bonus, selon David. Il a plusieurs fois déclaré ceci :

« Il est important dans la vie d'identifier nos rêves. Si on ne les accomplit pas, ce n'est pas grave. Il faut les laisser nous enthousiasmer au quotidien. Il faut les respecter. On a le droit d'avoir des rêves. C'est ce qui nous définit un peu. On finit par ressembler à nos rêves. On s'en approche comme ça... »

C'est ainsi qu'enfant, David prenait toutes ses décisions en fonction de ce qu'aurait fait un astronaute à sa place :

« L'astronaute ferait du sport, il mangerait bien, il étudierait les sciences, il voyagerait, il apprendrait des langues étrangères, il serait brave et digne de confiance... »

Parions que c'est encore ainsi qu'il prend ses décisions aujourd'hui. Et c'est parfait comme ça !

# 6

# DÉPART POUR LA NASA, MAI 2009

Après avoir passé deux années à l'Agence spatiale canadienne, David et Jeremy Hansen se sentent prêts à faire leurs preuves à la NASA. La suite logique et essentielle pour les deux astronautes canadiens est de relever ce nouveau défi. Si cette étape se passe bien, David et Jeremy pourraient éventuellement se faire offrir une mission dans l'espace.

David a bien l'intention de visiter la Station spatiale… Il a donc le moral gonflé à bloc lorsqu'il s'envole pour Houston, au Texas, où se trouvent les installations de la NASA. Il y poursuit sa formation d'astronaute. Là-bas, il rallie les rangs des quelque 17 000 employés de l'Agence spatiale américaine.

\*\*\*

De nos jours, la NASA se consacre en particulier à l'exploration de notre système solaire et à la recherche sur les changements climatiques. Elle poursuit aussi ses recherches sur l'Univers et elle continue son exploration spatiale grâce à des sondes spatiales qui sont envoyées le plus loin possible, afin de photographier, entre autres, des planètes. Plus récemment, la NASA a lancé un télescope dans l'espace, le *Hubble*, qui va permettre aux scientifiques de découvrir l'Univers dans des régions jusqu'ici inconnues puisqu'il nous était impossible de voir jusqu'à des distances aussi lointaines.

Grâce à un de ses satellites, la NASA a créé une carte du monde qui indique les pays où la qualité de l'air se détériore depuis les 150 dernières années. La carte montre aussi les endroits du monde où la qualité de l'air s'améliore depuis ces mêmes 150 années. Ainsi, la NASA peut travailler à trouver des solutions afin de lutter efficacement contre la pollution. L'environnement et sa protection sont au cœur des recherches de l'Agence spatiale américaine.

Les recherches de la NASA ont d'ailleurs contribué à améliorer la qualité de l'eau dans certaines régions terrestres. La technologie qui permet de recycler l'eau dans la Station spatiale a été modifiée afin d'aider les victimes de catastrophes naturelles à avoir accès à de l'eau potable ici, sur Terre.

\*\*\*

En mai 2009, David et sa conjointe Véronique s'installent donc à Houston, près de la NASA. Une nouvelle vie débute pour eux.

Véronique pratique toujours la médecine. Sa vie professionnelle est tout de même un peu plus difficile à organiser… C'est que Véronique partage son temps entre deux endroits fort différents. En effet, elle travaille désormais à Houston, mais elle a aussi conservé son travail au Nunavik! Elle passe donc quelques semaines, en alternance, tantôt auprès de ses patients dans le Nord-du-Québec, tantôt auprès de ses patients au Texas. Un tour de force!

Quant à David, il franchit une nouvelle étape. En 2009, après quelques mois passés à la NASA, les responsables le sélectionnent pour faire partie du nouveau corps d'aspirants astronautes. C'est une grande nouvelle! Il appartient maintenant à la nouvelle génération d'explorateurs de l'espace choisie par les hauts responsables de la NASA!

David fait équipe avec 13 autres candidats. Ensemble, ils constituent la vingtième cohorte de l'histoire de la plus grande agence spatiale du monde. À ce moment, David sait que ses chances de visiter l'espace sont devenues bien réelles. Son rêve semble en bonne voie de se réaliser. Le compte à rebours du décollage se fait presque entendre…

Toutefois, il reste encore beaucoup à faire. Le travail est loin d'être terminé. Ça semble décourageant, mais David, lui, est loin d'être découragé !

*\*\**

Un nouvel entraînement débute. Celui-ci va s'échelonner sur deux années. Les aspirants astronautes vont vivre un camp de recrues aussi rude que nécessaire. On va leur enseigner les rudiments du métier. Cela va permettre à la NASA de s'assurer que tous les candidats sont au même niveau en ce qui concerne leurs connaissances et leur forme physique.

Cette formation est très exigeante. Au bout de ces deux années décisives, en 2011, la NASA confirme à David sa nomination officielle en tant qu'astronaute. Il n'est plus candidat ou aspirant, il est devenu un VRAI astronaute de la NASA.

Le compte à rebours continue... Il reste encore sept longues années avant le décollage de la fusée qui amènera David dans l'espace. Mais ça, David ne le sait pas à ce moment-là! On ne lui a pas encore assigné de mission... Pour l'instant, il ignore encore qu'il s'envolera un jour pour l'espace et qu'il ira travailler pendant six mois à la Station spatiale internationale.

### Qu'est-ce que la Station spatiale internationale ?

La Station spatiale internationale est une base spatiale sous la supervision de la NASA. Elle accueille des astronautes en mission depuis 2000. Elle est habitée en permanence par des astronautes de différentes nationalités. Il y a toujours quelqu'un là-haut, dans ce gigantesque laboratoire volant. Depuis 20 ans, elle est la destination rêvée des astronautes!

Cette station est en orbite autour de la Terre. La distance entre la Station spatiale et notre planète varie régulièrement de quelques kilomètres (à cause de l'attraction terrestre),

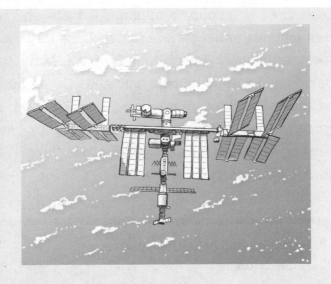

mais elle est habituellement située à 375 kilomètres de la Terre. En fait, ce n'est pas si loin
que ça! Ça correspond environ à la distance
entre Montréal et Baie-Saint-Paul, dans la région de Charlevoix. Pour s'y rendre, il n'existe
qu'un seul moyen de transport : la fusée. À
une certaine époque, on pouvait y aller en navette spatiale, mais ce n'est plus possible pour
l'instant. Les navettes ne sont plus utilisées.

Arrivés à la Station spatiale, les astronautes
font le tour de la Terre toutes les 90 minutes !

C'est une vitesse incroyable! Cela représente une distance de huit kilomètres parcourus chaque seconde. La Station et les astronautes à son bord flottent suivant l'orbite terrestre à une vitesse de 28 000 kilomètres à l'heure! C'est environ 35 fois plus vite qu'un avion de passagers.

Il ne faut pas oublier que cette vitesse ne dépend d'aucun moteur. La vitesse est générée seulement par son orbite terrestre. Il y a plus de 2 000 satellites en orbite autour de la Terre. Comme tous ces satellites, la Station spatiale tourne en suivant une courbe fermée. Les satellites ne peuvent pas changer leur trajectoire, car ils sont sous l'emprise de la gravité terrestre. On dit que la Station spatiale est en orbite terrestre basse, parce qu'elle est à moins de 2000 kilomètres de la Terre.

La Station spatiale internationale est une sorte de grand bâtiment construit en plusieurs modules. Son édification a pris de nombreuses années. L'assemblage a été amorcé en 1998, tout d'abord sur Terre. Par la suite, plusieurs équipes se sont relayées et ont poursuivi sa fabrication et son entretien directement dans l'espace.

La Station est constituée de 15 modules pressurisés dont 4 sont des laboratoires. Elle est plutôt vaste dans son ensemble, mais les modules qui la composent sont relativement petits. Les astronautes circulent d'un module à l'autre. Ils doivent passer à travers des sas[8] afin de changer de module.

Au total, les modules habitables de la Station représentent près de 400 mètres cubes, soit environ la superficie habitable d'une maison unifamiliale de cinq chambres à coucher. Le poids total de la Station est de 400 tonnes. Depuis 2000, des équipes d'astronautes se relaient sans relâche là-haut. Ils y séjournent durant des périodes allant de 3 à 6 mois.

---

8.  Un sas est un passage sécurisé pour les personnes, qui relie deux milieux différents. Il est muni de portes étanches.

La conception de la Station spatiale internationale a été imaginée et planifiée par de grands scientifiques de différents pays. C'est pourquoi elle est considérée par plusieurs comme une des plus impressionnantes réalisations internationales de l'histoire de l'humanité.

La Station est équipée de manière à pouvoir accueillir les scientifiques provenant de tous les pays du monde. Ses nombreux laboratoires sont à la fine pointe de la technologie et ils sont au service des expériences de ces scientifiques.

Ces chercheurs y mènent des travaux qui ont pour objectif de servir l'humanité entière. En temps réel, les résultats de ces recherches sont acheminés aux scientifiques au sol. En fait, les astronautes de la Station et les scientifiques sur Terre sont constamment en liaison.

Afin de ravitailler les astronautes en denrées ainsi qu'en marchandises de toutes sortes, on leur fait parvenir régulièrement des capsules spatiales cargos. Ces véhicules se déplacent sans pilote à leur bord. Ils arrivent pratiquement à s'amarrer sans intervention humaine à la Station spatiale! Ils font plusieurs allers-retours de la Terre à la Station.

On estime que la construction de la Station spatiale internationale a coûté plus de 65 milliards de dollars. Elle est devenue l'objet le plus dispendieux jamais construit par l'humain. Le Japon, les États-Unis, la Chine, la Russie, le Canada ainsi que plusieurs pays européens ont participé à ce projet grandiose.

Les objectifs des missions à la Station spatiale sont très variés. Il s'agit principalement d'y faire de la recherche. On doit aussi y faire des travaux de construction et d'entretien.

***

De toute l'histoire de l'exploration spatiale, jusqu'à maintenant, seulement 561 astronautes ont eu le privilège inestimable de se rendre dans le cosmos.

# 7

# LA FORMATION ET
# L'ENTRAÎNEMENT AVANT
# LE GRAND DÉPART

Le plus grand souhait de David est de partir un jour visiter la Station spatiale. Il sait que sa présence à la NASA ne garantit aucunement que son souhait se réalisera. Ce n'est pas parce qu'il travaille extrêmement fort qu'il pourra automatiquement partir en mission. Il y a beaucoup de variables à prendre en compte. Les astres doivent être tous alignés à la perfection pour que cela se réalise !

La seule certitude qu'il a en tête est qu'il doit être à la hauteur. S'il veut conserver le maximum de chances de participer à une mission, il doit être au sommet de sa forme mentale et physique, prêt à décoller lorsqu'on le lui demandera.

Ce n'est pas le seul objectif important que se donne David. Il veut aussi être un mari et un père exemplaire. Sa priorité demeure Véronique et leurs deux garçons (à l'époque, sa fille n'est pas encore née). Jamais il ne va sacrifier sa famille au profit de ses projets !

David est l'un de ceux qui donnent le meilleur d'eux-mêmes lorsqu'ils portent plusieurs projets à la fois. C'est-à-dire que David n'est parfaitement à l'aise que quand il mène de front tous ses projets en faisant face en même temps à toutes ses responsabilités.

*** 

Durant ses années passées à la NASA, David va connaître un entraînement complet et rigoureux. Afin de le préparer à cent pour cent pour une éventuelle mission spatiale, on lui assigne des missions intéressantes qui seront aussi formatrices. Tout d'abord, il va participer à une expédition sous l'eau.

La mission NEEMO 15 est une de ces missions qui regroupent quantité de scientifiques, d'astronautes et d'ingénieurs. NEEMO est l'acronyme de NASA Extreme Environment Mission Operations. Ce qui pourrait se traduire par « Opérations de mission en environnement extrême de la NASA ».

Il s'agit ici d'encadrer des opérations durant une mission sous-marine. Elle a lieu du 21 au 26 octobre 2011 dans un laboratoire sous-marin à cinq kilomètres de Key Largo, au sud de la Floride.

Le laboratoire est situé dans une zone marine protégée du nom de Florida Keys National Marine Sanctuary, où se trouve un fabuleux récif de corail.

Ce labo exceptionnel est installé à une vingtaine de mètres sous l'eau. Il a été construit directement sur le fond de l'océan et il a été baptisé « Reef Base ». Il s'agit du plus gros laboratoire submersible du monde...

Les futurs astronautes provenant d'un peu partout dans le monde participent à la mission. Leur

formation est préparée avec soin. Les organisateurs sont expérimentés, et ils ont prévu beaucoup de travail.

C'est donc avec plaisir que David prend part à cette mission, lui qui adore repousser ses propres limites et vivre de nouvelles expériences !

Les participants vivent sous l'eau durant cinq jours. Ils doivent faire de la résolution de pro-

blèmes en équipe. Ils doivent prouver aux organisateurs qu'ils sont en mesure de faire preuve
d'un bon jugement. Encore une fois, chacun des
gestes des candidats sera analysé par les
observateurs.

Les astronautes doivent s'habituer à vivre en
groupe dans des espaces exigus. Il ne faudrait
surtout pas découvrir qu'ils souffrent de claustro-
phobie une fois qu'ils sont dans l'espace... Cela
serait catastrophique!

La grande ressemblance entre l'océan et l'espace,
c'est l'absence d'oxygène. Les combinaisons utilisées pour explorer l'un et l'autre se ressemblent
beaucoup. Les astronautes sont ainsi initiés à
évoluer dans un environnement où le corps n'a
pas le même poids que sur la terre ferme.

Cette mission est un prélude captivant et formateur. La suite de l'entraînement sous l'eau se fera
directement à Houston, à la NASA. Plusieurs
heures de préparation se dérouleront en piscine.

La façon d'entraîner les astronautes dans la piscine consiste à les immerger complètement dans un immense bassin avec des scaphandres très semblables à ceux qu'ils porteront dans l'espace.

Alors qu'ils sont sous l'eau, ils s'exercent à des tâches qu'ils devront reproduire à la Station spatiale internationale. On leur fait également enfiler de gros gants semblables aux gants d'astronautes, avec lesquels ils s'exercent à manipuler des outils sous l'eau. Ils passent des heures au fond de la piscine !

La piscine de la NASA est d'ailleurs la plus grande du monde ! Elle est connue sous le nom de Laboratoire de flottabilité neutre. C'est le meilleur endroit pour reproduire l'état d'apesanteur qu'on ressent dans l'espace... mais sur Terre.

***

Afin de se préparer à la vie dans l'espace, les participants se servent aussi du système ARGOS de la NASA. Les astronautes comme David utilisent ce système qui a été conçu pour être complémentaire à la technique de préparation sous-marine.

ARGOS permet d'habituer les astronautes à vivre dans un environnement sans gravité. Ce système est encore plus près de la réalité de l'espace. Car dans l'eau, le corps humain a un poids, ce qui n'est pas le cas dans l'espace.

Avec ARGOS, les astronautes sont soutenus par le haut grâce à plusieurs câbles. Ils ressemblent un peu à des marionnettes volantes. Ils se déplacent couchés dans ce système complexe de câbles accrochés sous eux. À les voir s'exercer, on peut facilement les imaginer flottant comme ça dans la Station spatiale.

Comme l'explique lui-même David Saint-Jacques :

« Le corps humain est habitué à fonctionner avec de la gravité. Nous avons le sol et des murs pour nous aider. Même dans l'eau, nous pouvons nager pour avancer. Alors que dans l'espace, on ne peut rien faire. Si une poussée nous lance dans une direction dans le vide de l'espace, on ne pourra pas s'arrêter. »

En effet, dans l'espace, à cause de l'absence de gravité, une fois poussé dans un sens et même à faible vitesse, un corps dérivera dans la même direction jusqu'à l'infini. À moins que quelqu'un ou quelque chose ne l'intercepte !

Les astronautes comme David se préparent en tenant pour acquis que l'espace est un environnement hostile. Il y a les radiations, l'absence d'air, l'absence de gravité... L'entraînement très rigoureux que vivent les astronautes est essentiel.

C'est pourquoi chacune des sorties dans l'espace est prévue et préparée longtemps à l'avance ; aucune n'est improvisée. Les sorties sont pratiquées des centaines de fois. On ne voudrait surtout pas perdre un astronaute dans le néant de l'espace ! Le manque d'oxygène dans sa réserve lui serait fatal...

Si jamais cette éventualité survenait et qu'un astronaute partait à la dérive, un système d'urgence pourrait lui sauver la vie. L'astronaute qui serait à la dérive a (comme tous les astronautes en sortie dans l'espace) un réacteur dorsal qu'il devrait utiliser afin de s'élancer vers la Station spatiale pour s'y accrocher. On voit parfois ce genre de réacteur dorsal dans des films de science-fiction.

L'astronaute à la dérive se devrait alors d'être très précis, car son réacteur dorsal est conçu pour lui fournir une poussée qui ne dure que quelques petites secondes. Juste assez pour s'élancer dans la bonne direction et se réagripper à la paroi de la Station.

Toutes les éventualités ont été imaginées. Toutes les solutions à ces éventualités ont été pensées. C'est pourquoi les missions spatiales sont préparées par plusieurs centaines de personnes. Les scientifiques travaillent de concert afin de s'assurer du succès de chacune des missions.

\*\*\*

Quelques mois après la mission NEEMO, David part en Italie pour une expédition organisée par l'Agence spatiale européenne : la mission CAVES 2012. L'acronyme CAVES correspond à Cooperative Adventure for Valuing and Exercising Human Behaviour and Performance Skills (en français : Aventure coopérative pour valoriser et exercer le comportement humain et les compétences de performance).

Durant une semaine, David et ses partenaires exploreront des zones inconnues de la grotte Sa Grutta, en Sardaigne, une île italienne de la mer Méditerranée.

Les aventuriers descendent à quatre kilomètres sous terre. Ils sont baptisés les « cavernautes ». Ils vivent encore une fois une expérience en environnement hostile.

Cette mission d'une semaine permet aussi aux cavernautes de participer à des recherches scientifiques. Ces recherches sont semblables à celles qui sont menées à partir de la Station spatiale internationale.

Tout comme c'était le cas pour la mission NEEMO, les journées d'exploration de CAVES sont très semblables aux sorties dans l'espace que réalisent les astronautes. Par exemple, dans les deux cas, les explorateurs utilisent des mousquets et des cordes afin de circuler sur les parois de la grotte, comme ils devront un jour circuler sur les parois de la Station spatiale.

Les mousquets sont essentiels puisque ce sont eux qui rattachent les astronautes à la vie. Les déplacements le long des parois rocheuses sont très semblables aux déplacements le long des parois de la Station spatiale.

Dans la grotte, les cavernautes doivent déplacer leurs mousquets de piton en piton afin de pouvoir monter et descendre le long des parois rocheuses. Lors d'une sortie spatiale à la Station, les astronautes devront aussi les déplacer.

Dans la grotte, David porte un sac sur son dos, dans lequel est rangé de l'équipement essentiel au bon déroulement de la mission. Il doit prendre garde à ne pas le cogner. Ce sac a des proportions identiques à celles du réacteur dorsal que portent les astronautes.

Le travail d'équipe et la résolution de problèmes en équipe sont des points centraux pour lesquels les astronautes sont conviés à cette formation soutenue.

Pour les organisateurs, l'objectif est de voir comment réagissent les cavernautes aux imprévus et aux obstacles qui surviennent durant leur périple. Les organisateurs veulent pouvoir mesurer les réalisations du groupe ainsi que les aptitudes individuelles des participants. Ils veulent avoir l'assurance que chacun est humainement capable de vivre dans l'espace durant le temps d'une mission.

Voici les principaux objectifs de la formation de CAVES :

- Travailler de manière efficace et sécuritaire en groupe : la mission souterraine est en fait un prétexte à travailler en groupe uni. Chacune des étapes de la mission doit être réalisée en équipe. La vie d'astronaute en est une de cohabitation et de grande proximité. Chaque membre de l'équipage compte. Chacun a un rôle important à jouer.

– Résoudre des problèmes en tant qu'équipe multiculturelle : les cavernautes viennent de différents pays. Le langage universel est l'anglais, mais parfois le fait de connaître le russe et le japonais peut être très pratique. Le métier d'astronaute exige d'apprendre plusieurs langues. David en profite pour apprendre peu à peu les langues parlées par ses collègues.

– Réaliser des tâches scientifiques et techniques complexes : au fond de la grotte, David et ses compagnons installent un laboratoire portatif, afin de mener une série d'expériences. Ils doivent cartographier le souterrain au moyen des outils qu'ils ont portés dans leurs sacs. Ces outils informatiques et technologiques serviront à recueillir des données scientifiques sur la biologie souterraine. Les équipiers prélèvent des insectes afin de les répertorier et prennent des photos des spécimens. Ils indiquent l'heure et l'endroit où ils ont été trouvés. Ces données serviront à rédiger le rapport final de la mission.

— Explorer des territoires non cartographiés : les cavernautes doivent découvrir de nouvelles sections inconnues de la grotte. Ils doivent déployer tous leurs talents d'escalade. Les déplacements dans la grotte sont parfois risqués. Il ne faut surtout pas mettre sa vie en danger ni celle des autres. Les nouvelles sections découvertes sont automatiquement cartographiées. Elles seront utiles pour les explorations futures de la grotte et aideront de nouveaux cavernautes à s'y déplacer.

— Utiliser des procédures liées à l'exploration spatiale : chaque mission contribue à la recherche scientifique en tant que telle. Chaque découverte, grande ou petite, permet de faire avancer les connaissances sur les plans de la science et de l'exploration.

CAVES 2012, ce n'est pas un voyage cinq étoiles !
Il n'y a pas de toilettes privées pour les besoins
de base. Ces besoins se font dans un endroit dé-
signé par tous, et hop !, on y va à tour de rôle…
En outre, l'environnement y est inhospitalier :
surfaces glissantes et coupantes, passages
étroits, obscurité totale, etc. Sans compter que la
mission CAVES 2012 dure une semaine com-
plète. Les cavernautes séjournent au fond de la
caverne sans voir le soleil durant environ
168 heures consécutives.

La visibilité y étant difficile, les déplacements le deviennent tout autant. Les risques de blessures sont élevés. Ce n'est pas le type d'endroit dont rêve un claustrophobe pour ses vacances ! Il y a des passages très étroits. Il faut savoir se glisser dans des fissures et entre les murs de la caverne sans rester prisonnier...

L'humidité dans la grotte est parfois très intense. On y découvre même des lacs et des rivières. Les cavernautes s'y baignent. Il ne faut pas être trop frileux ou douillet... Mais avoir un sens aigu de l'aventure !

Chacun redoute d'avoir à évacuer d'urgence un membre de la mission. À quatre kilomètres sous terre, ce serait tragique ! Les explorateurs doivent faire attention aux faux pas. La préparation est la seule façon efficace d'éviter ce genre de catastrophe.

Il est primordial que chacun des participants soit en excellente forme physique. Il est essentiel que chacun fasse ce qui lui est demandé. L'utilisation de l'équipement d'escalade doit être perfectionnée au maximum avant le départ. Chaque participant doit savoir ce qu'il a à faire en cas de pépin.

À la sortie de la grotte, les participants sont heureux de revoir le soleil. Ils sont fiers de ce qu'ils ont accompli. David et ses compagnons ont tissé entre eux des liens étroits. Les souvenirs de cette expédition resteront gravés dans leur mémoire. C'est une expérience enrichissante à tous les points de vue.

***

La mission CAVES 2012 a été très importante dans le processus de formation de David. Il a beaucoup appris sur une foule d'aspects de la vie d'un astronaute. Outre le fait d'être éloigné de sa famille, de ses amis et de ses proches, il s'agit de s'habituer à vivre dans des conditions peu confortables.

Il faut vraiment être préparé mentalement pour vivre ces situations difficiles, qui ne sont clairement pas faites pour tout le monde.

# 8

# DAVID DEVIENT CAPCOM DE MISSION

Quelques mois après la mission CAVES 2012, David se voit confier une nouvelle responsabilité très intéressante. Il est nommé astronaute de soutien dans le cadre de la mission Expedition 35/36. Cette mission spatiale habitée se déroule de décembre 2012 à mai 2013.

Une mission spatiale habitée est une mission au cours de laquelle des astronautes vont dans l'espace. Plusieurs missions spatiales ne sont pas habitées. C'est le cas, par exemple, lorsque des capsules de ravitaillement sont acheminées grâce à des fusées jusqu'à la Station spatiale.

Lors de la mission Expedition 35/36, l'astronaute canadien Chris Hadfield a passé plus de cinq mois en orbite. C'est durant cette mission que David a hérité de la responsabilité d'agir en tant qu'astronaute de soutien. C'est un rôle très important pour un astronaute qui aspire à participer à une mission habitée.

Le mot *capcom* est né de la jonction des mots «capsule» et «*communicator*». Le rôle d'un capcom est de faire le lien entre l'espace et la Terre. Il s'agit en fait d'un agent de liaison. En effet, la seule personne autorisée à parler aux astronautes durant une mission est le capcom.

David doit donc connaître à la perfection les moindres données qui concernent la fusée *Soyouz* qu'utiliseront les astronautes pour décoller. De plus, il doit apprendre sur le bout de ses doigts tous les éléments de la Station spatiale. Il doit finalement savoir par cœur tous les détails qui concernent la mission. Un capcom doit être parfaitement préparé. Tout comme les astronautes en mission dans l'espace, il n'a pas droit à l'erreur. C'est un peu comme si le capcom était aussi de la mission, même s'il reste au sol.

Pour des raisons techniques et de sécurité, la communication entre le sol et l'espace doit être efficace à cent pour cent. L'agent capcom doit être une personne très calme qui s'exprime de façon claire et sans ambiguïté. Il faut en quelque sorte avoir des nerfs d'acier pour remplir ce rôle.

Comme ce serait humainement impossible que le même capcom soit au travail sans arrêt, il y a plusieurs personnes qui se relaient au cours d'une mission. Il est nécessaire de s'assurer que les astronautes sont toujours accompagnés. Une journée de travail de capcom dure environ huit heures.

Dans les faits, comme il y a des astronautes à bord de la Station spatiale internationale depuis 2000, il y a donc toujours un capcom en fonction à Houston depuis 2000, jour et nuit!

Pour se préparer au rôle de capcom, David s'entraîne durant près de six mois. On le place en contexte de toutes sortes de situations d'urgence. Il vit des catastrophes simulées et doit prendre des décisions difficiles. C'est une expérience incroyable! Et David excelle durant son entraînement et ses missions de capcom.

***

Durant la mission Expedition 35/36, le Canadien Chris Hadfield devient le premier astronaute canadien à obtenir le rôle de commandant de la Station spatiale internationale. C'est un immense honneur qui lui est accordé.

Chris devient encore plus célèbre lorsqu'il décide de se filmer en train de chanter dans l'espace en s'accompagnant à la guitare. Tout en flottant dans la Station spatiale, il joue la pièce musicale *Space Oddity* de l'auteur-compositeur-interprète David Bowie. Cette chanson raconte justement l'histoire d'un astronaute, Major Tom, en mission dans le cosmos. Les paroles de la chanson rapportent les propos échangés durant la mission entre le capcom et Major Tom...

C'est avec plaisir que David est alors témoin du talent de son confrère Chris. David a hâte d'avoir la chance d'aller visiter l'espace, lui aussi. Il est inspiré par son collègue canadien.

# 9

# L'EXPEDITION 58/59

Le 16 mai 2016, pour une rare fois, David est de passage au Canada. Cette fois-ci, à son programme de séjour, l'Agence spatiale canadienne a ajouté un événement très spécial. David va rencontrer des enfants ainsi que les médias au Musée de l'aviation et de l'espace du Canada.

Il est accompagné du ministre de l'Innovation, des Sciences et du Développement économique du gouvernement fédéral canadien, Navdeep Bains, qui s'apprête à faire une déclaration d'intérêt national. C'est donc à lui que reviennent la responsabilité et l'honneur d'annoncer la nouvelle que tous attendent avec impatience.

Des médias canadiens importants et des dizaines d'enfants fébriles s'entassent dans les estrades. Sans plus attendre, le ministre Bains s'adresse à eux ainsi qu'à toutes les Canadiennes et tous les

Canadiens. Il annonce avec fierté que le Canada a choisi David Saint-Jacques pour le représenter dans le cadre de la mission Expedition 58/59 :

« Accueillez avec moi le prochain astronaute canadien à partir pour l'espace et qui ira travailler à la Station spatiale internationale. David Saint-Jacques s'envolera en décembre 2018 dans le cadre de la mission Expedition 58/59 et y réalisera plusieurs expériences scientifiques. »

David fait alors son apparition sur scène devant journalistes et caméras. La joie et la fierté sont bien visibles sur son visage. On peut également y lire les signes de la satisfaction et de l'accomplissement. Il a travaillé tellement fort pour en arriver là ! Le compte à rebours peut enfin commencer : David ira dans l'espace !

On sent qu'il porte en lui le désir de communiquer sa passion. Il souhaite transmettre les valeurs qui lui sont chères : l'effort, la curiosité, la ténacité. Mais ce n'est pas seulement de son rêve d'astronaute qu'il est question ce jour-là. Il s'agit surtout de rappeler à tous ces jeunes Canadiens qu'il est primordial dans la vie de croire en ses rêves.

Avec les médias et surtout avec les enfants qui se trouvent sur place, David partage quelques pensées, des réflexions sur son métier et sur son parcours :

« Me voici après toutes ces années de travail prêt à embarquer dans ma première mission spatiale. Le médecin en moi a vraiment hâte d'effectuer des expériences de première main, de voir l'effet de la microgravité sur mon corps. L'ingénieur en moi a hâte d'exploiter le Canadarm 2, et l'astrophysicien en moi a hâte de regarder les étoiles pendant que je flotte dans ma combinaison. Et, bien sûr, l'aventurier en moi a hâte, tout simplement hâte, d'y aller.

« Je me tiens debout sur les épaules de géants ; les astronautes qui m'ont précédé m'ont inspiré dans l'enfance, ont été mes collègues et mes mentors. J'aimerais remercier mon ami Jeremy Hansen, l'astronaute canadien. Nous avons connu sept ans d'entraînement et de formation ensemble. Aujourd'hui, je suis chanceux d'être choisi. Mais je sais que ça aurait pu être lui. J'ai bien hâte qu'il reçoive lui aussi sa mission. »

Depuis cette journée hors de l'ordinaire, David Saint-Jacques est devenu un héros canadien à part entière.

\*\*\*

L'exploration spatiale est un sujet qui pique la curiosité de chacun. Les astronautes ne laissent personne indifférent. Leurs missions font rêver. L'implication du Canada au sein de l'exploration spatiale et de la mission Expedition 58/59 est donc une source de grande fierté pour tous les citoyens canadiens.

Avant de partir, David doit apprendre de façon précise tout ce qu'il doit faire dès qu'il sera assis dans la fusée *Soyouz* et prêt à décoller. La mission se termine une fois de retour sur Terre. Les astronautes peuvent alors prendre des vacances bien méritées.

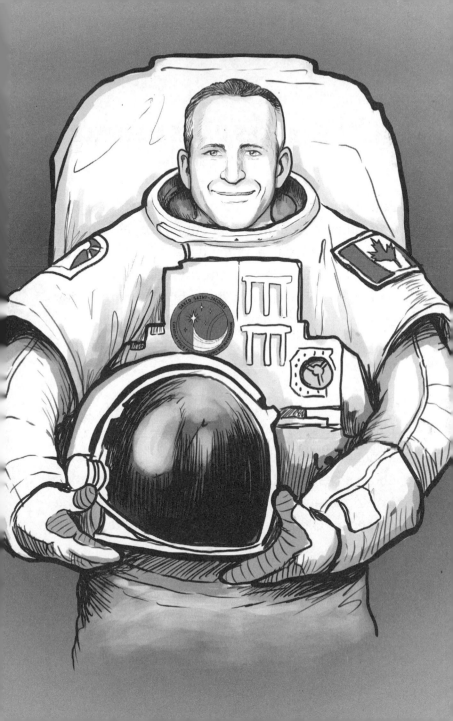

# 10

# LES SCIENCES DANS L'ESPACE

Pour la mission Expedition 58/59, David a hérité de plusieurs responsabilités importantes. En plus d'être le médecin à bord, il va s'occuper d'une foule de choses. Comme chacun des autres astronautes, il doit s'assurer de la bonne marche des opérations de la mission. Il doit aussi veiller à sa propre sécurité ainsi qu'à celle de ses collègues astronautes.

De plus, David a été nommé copilote de la fusée *Soyouz*. Il sera le second de l'astronaute Oleg Kononenko, qui, lui, en est le commandant. Cette énorme responsabilité a nécessité une formation très rigoureuse. Si jamais une situation venait à empêcher Oleg Kononenko de poursuivre le pilotage, David devrait prendre la relève.

Le volet scientifique d'une mission à bord de la Station spatiale est crucial. Les astronautes sont de grands scientifiques. La deuxième appellation sous laquelle est désignée la Station spatiale internationale est « le laboratoire orbital », et ce n'est pas pour rien. On y mène une foule de recherches et d'études.

Chaque jour, une dizaine d'expériences sont réalisées par les astronautes. En ce moment même, au moins une de ces expériences est en cours.

De nouvelles technologies sont souvent inventées et éprouvées dans l'espace.

Par exemple, tout le monde sait que dans l'espace, il n'y a pas d'eau. Les astronautes partent donc en apportant un peu d'eau. Ils en recevront aussi parfois lors de la livraison de marchandises envoyées par vaisseau cargo. L'eau qu'on trouve dans la Station spatiale finit donc, tôt ou tard, par être recyclée.

C'est aussi le cas pour l'eau de vaisselle. Et même l'eau que contient l'urine est recyclée pour redevenir potable. Ces technologies de recyclage de l'eau seront un jour utilisables sur Terre à grande échelle. C'est ainsi que l'exploration spatiale contribue à améliorer la qualité de vie de tous les humains.

***

Les expériences de David porteront sur la vie quotidienne d'un être humain en état d'apesanteur durant une période de six mois. Les scientifiques de l'Agence spatiale canadienne et de la NASA veulent connaître l'impact de l'apesanteur sur le corps.

Pour cette expérience, David emporte dans ses valises un maillot muni de plusieurs capteurs de signes vitaux. Ce maillot, qu'il enfilera à bord de la Station spatiale, porte le nom d'Astroskin. Grâce à ses multiples capteurs, l'Astroskin permettra d'en apprendre davantage sur les effets, sur le corps humain, de la vie dans l'espace. Il permettra, entre autres, de mesurer le rythme cardiaque, la respiration, la tension artérielle et la température de David. La technologie très avancée de ce maillot va transmettre en temps réel toutes les données recueillies par ses capteurs. L'Astroskin a été conçu spécialement pour David avec un tissu antibactérien.

David a reçu deux maillots Astroskin pour effectuer des expériences durant sa mission à la Station spatiale. Il doit porter chacun pendant des périodes de 48 heures. Les scientifiques responsables de cette expérience espèrent qu'elle sera concluante. Si c'est le cas, d'autres Astroskin seront portés par des astronautes lors de missions ultérieures.

Cette expérience permettra, entre autres, d'améliorer les techniques de médecine à distance. La médecine à distance, c'est l'utilisation des télécommunications pour soigner des malades, en particulier la téléconférence et la vidéoconférence. Cela facilite l'accès à des soins médicaux en région isolée ou éloignée.

La médecine à distance profite des avancées technologiques de l'exploration spatiale. C'est exactement ce que permet l'Astroskin.

Dans l'avenir de l'exploration spatiale, à destination de Mars, par exemple, les astronautes ne pourront plus communiquer avec leurs médecins de vol ou d'autres spécialistes médicaux sur Terre, comme ils le font actuellement depuis la Station spatiale internationale.

Ils ne pourront pas non plus retourner sur Terre en cas d'urgence. Les trop grandes distances qui sépareront le vaisseau spatial et la Terre compliqueront les retours d'urgence. En outre, les communications seront plus difficiles. À cause des distances, elles seront beaucoup plus lentes et parfois même impossibles. L'équipage devra être autonome à tous points de vue. C'est pourquoi il sera approprié qu'au moins un des membres d'équipage soit médecin.

De plus, il faudra développer des technologies, comme des systèmes d'aide à la décision médicale, pour permettre aux membres d'équipage de diagnostiquer, de traiter et même de prévenir les problèmes médicaux.

***

Les autres astronautes de la mission Expedition 58/59 vont participer aux expériences de David. Ils seront ses patients durant les six mois qu'ils passeront ensemble dans la Station. David et ses collègues de recherche vont alors tenter de trouver des solutions à des problèmes de santé précis. Ces solutions pourront par la suite être réutilisées sur Terre afin de soigner le plus de personnes possible.

Lorsqu'il va procéder à ses expériences dans l'espace, David va bénéficier d'un atout important. L'espace entraîne un rythme de recherche plus rapide. Il permet donc de trouver les remèdes à certaines maladies plus rapidement que sur Terre. Pourquoi est-ce plus rapide?

Voici un exemple : l'effet de l'apesanteur dans l'espace produit un effet instantané sur le corps humain. C'est qu'une fois en apesanteur, celui-ci réagit de façon économique en ce qui concerne son énergie. C'est comme si le corps d'un astronaute se disait : « Ici, parce que je ne pèse plus rien, je n'ai pas besoin de conserver des os forts. Alors je rejette les minéraux de mes os. Je n'en ai plus besoin. »

D'ailleurs, les os des astronautes qui ont passé beaucoup de temps dans l'espace sont vraiment plus fragiles que ceux des autres humains. Les astronautes doivent faire une série d'exercices dans l'espace afin de neutraliser le plus possible les effets néfastes de l'apesanteur.

D'un point de vue médical, l'impact de l'apesanteur sur les os est très semblable à l'ostéoporose. Cette maladie se caractérise par une perte de masse osseuse ainsi qu'une fragilisation des tissus osseux, ce qui entraîne un risque de fractures des os plus élevé.

Lorsque l'ostéoporose est diagnostiquée tardivement chez un patient, elle est plus difficile à traiter. À ce jour, les chercheurs n'ont pas trouvé la cause de cette maladie. Selon les statistiques actuelles, un peu plus de 5 % des Canadiennes et des Canadiens souffriront d'ostéoporose au cours de leur vie. Cela représente environ 1 800 000 personnes.

Puisque la vie dans l'espace accélérera le vieillissement de ses os, David pourra faire de la recherche en servant lui-même de cobaye. Espérons que ces expériences pourront lui permettre de trouver des pistes de solution pour tous ceux qui souffrent de cette maladie.

*\*\**

Pour mener à terme avec succès une mission spatiale, il faut une équipe d'excellents astronautes. Toutefois, il y a autour de ces astronautes des centaines de femmes et d'hommes qui contribuent chacun dans leur champ d'expertise au succès souhaité.

Tous ces gens travaillent de concert afin de faire en sorte que chacune des étapes des missions fonctionne, qu'elle demeure sécuritaire et qu'elle soit un succès de A à Z.

Certains sont des spécialistes des combinaisons spatiales, d'autres sont des spécialistes des systèmes de navigation de la fusée. Il existe aussi des nutritionnistes de l'espace, des experts des systèmes de panneaux solaires pour l'espace, sans oublier les nombreux gestionnaires et administrateurs qui contribuent à encadrer toutes les missions.

D'ailleurs, comme David le mentionne : « Ma vie dépend des autres en tant qu'astronaute. »

Parmi ces experts se trouvent des ingénieurs qui doivent faire évoluer les solutions afin de recycler l'eau plus efficacement. Il y en a aussi qui doivent faire en sorte que l'énergie y soit recyclée de meilleure façon. On travaille sans cesse à récupérer au maximum afin de réduire les déchets dans l'espace. On trouve de nouvelles façons de conserver la nourriture plus longtemps.

L'exploration spatiale contribue à améliorer la qualité de vie des Terriens par le biais de ses avancées techniques en matière de protection de l'environnement. Des solutions naissent grâce à ces recherches afin de contrer tout type de gaspillage.

Comme le mentionne David Saint-Jacques, la survie de notre planète et, par la même occasion, des humains, passe inévitablement par le recyclage :

« Il n'y a jamais de nouvelle eau sur Terre. C'est la même eau qui est recyclée par la terre ou par nous. Cette eau fond des glaciers, elle part de l'océan et elle s'évapore et retombe sous forme de pluie. De notre côté, nous recyclons l'eau grâce à des usines de purification de l'eau potable. C'est la même chose pour l'air. Il n'y a pas de nouvel air sur Terre... L'air est filtré par les arbres et les forêts. Afin d'assurer sa survie, l'être humain doit devenir un maître dans l'art de tout recycler. »

||

# L'EXPLORATION SPATIALE
# DE L'AVENIR

Quel sera le portrait de l'exploration spatiale de l'avenir? Voilà une question très intéressante. Le 16 juillet 1969, le premier homme marchait sur la Lune. En déposant le pied sur le sol lunaire, Neil Armstrong a prononcé une phrase qui est devenue célèbre: « *That's one small step for man, one giant leap for mankind[9].* »

En 2009, Guy Laliberté, le fondateur du Cirque du Soleil, est devenu, quant à lui, un des premiers touristes de l'espace. Il y a réalisé un spectacle mettant en scène plusieurs personnes. Artistes, intellectuels, penseurs et scientifiques ont pu participer pour la première fois de l'histoire de l'humanité à un spectacle qui se réalisait à la fois sur Terre et dans l'espace.

---

9. Traduction: « C'est un petit pas pour l'homme, mais un bond de géant pour l'humanité. »

Puis, en 2013, en direct de l'espace, on a aussi pu voir et entendre Chris Hadfield jouer de la guitare et chanter.

Encore une fois, à quoi ressemblera l'exploration spatiale de l'avenir? Dans 50 ans, quel genre de mission habitée partira dans le cosmos? Jusqu'où iront les explorateurs? Pour combien de temps?

Des promoteurs voudraient aller jusqu'à construire des hôtels dans l'espace. Ceux-ci ressembleraient en quelque sorte à la Station spatiale. De tels hôtels pourraient accueillir des touristes qui viendraient y passer quelques jours. Ce genre de voyage coûterait très cher!

David Saint-Jacques pense que, dans environ 50 ans, les futures générations d'astronautes pourraient réussir à fonder une colonie sur Mars et s'y rendre régulièrement. Un peu comme les astronautes le font actuellement avec la Station spatiale internationale.

Mais comme David le dit lui-même, beaucoup de travail reste à accomplir avant d'y arriver : « Nous allons devoir auparavant devenir maîtres dans l'art de recycler l'énergie, l'air et l'eau. »

Se rendre à la Station spatiale internationale prend environ deux jours, et elle se situe à plus ou moins 375 kilomètres de la Terre. Mars est à plus de 75 millions de kilomètres de notre planète ! C'est un tout autre défi de s'y rendre !

La technologie pour atteindre Mars a déjà été élaborée. Mais c'est le retour qui pose problème ! Il faudrait trouver des solutions pour assurer un retour sécuritaire aux astronautes participant à une telle mission.

# 12

# LA MISSION PERSPECTIVE

S'inspirant de la tradition de l'Agence spatiale euro-péenne, l'Agence spatiale canadienne permet aux astronautes de notre pays de donner un nom à leur mission. David a choisi de nommer la sienne « Perspective ». Toutefois, le nom officiel de la mission à laquelle il participe demeure Expedition 58/59. Les raisons pour lesquelles il a choisi le nom « Perspective » sont très intéressantes.

David l'a d'abord choisi en souvenir des premières photos de la Terre qu'il a vues lorsqu'il était enfant. On le sait maintenant, ces images ont eu un impact important sur sa vision de la Terre. Cela a modifié sa perception de notre Univers. De plus, ces images ont fait naître en lui la forte envie de devenir un explorateur de l'espace.

David a donné ce nom à sa mission puisqu'il pourra admirer notre belle planète de là-haut. Il aura enfin la satisfaction de voir la Terre de la Station spatiale. Il pourra regarder dans notre direction en se disant : « Mission accomplie. »

Il a tant attendu ce moment ! Il prendra sans doute plusieurs photos souvenirs...

Ceci est l'écusson officiel de la mission Perspective. Il présente plusieurs éléments. Tout d'abord, on y trouve l'étoile Polaire et la rose des vents. Elles représentent respectivement le rêve et la raison. Elles ont guidé les explorateurs de toutes les époques.

La trajectoire de l'étoile qui sort de l'atmosphère est représentée par un arc-en-ciel formé de quatre couleurs. Le rouge symbolise la passion et l'énergie ; l'orangé, la créativité ; le blanc, la science. Quant à la couleur bleue, elle représente pour David l'importance de la collaboration internationale. L'exploration spatiale est possible grâce à cette collaboration entre plusieurs nations. C'est pour David une source de grande fierté.

Les quatre autres étoiles sur l'écusson y apparaissent pour une excellente raison. Elles représentent avant tout la famille de David, la constellation la plus brillante à ses yeux et celle dont il est le plus fier. Ces étoiles symbolisent aussi toutes les femmes et tous les hommes qui contribuent à la mission Perspective.

David a déjà dit à plus d'une reprise que sa plus belle réussite est sa famille.

« Avoir eu mes trois enfants, et réussir à demeurer un bon mari et un bon père de famille malgré les exigences élevées de mon travail, et les compromis et sacrifices qu'il implique. C'est un véritable travail d'équipe avec ma femme, qui doit, elle aussi, conjuguer gestion des enfants, expatriation et carrière exigeante. Cet exercice d'équilibriste est rendu possible grâce à son énergie, sa créativité et son sens de l'humour. Ma vie de famille me nourrit, me garde les pieds sur terre. »

# LE COMPTE À REBOURS EST COMMENCÉ

La famille Morin-Saint-Jacques sait que le moment des adieux approche. Toutefois, un événement suspend pour l'instant toutes les missions spatiales habitées comme celle à laquelle doit participer David Saint-Jacques.

En effet, le 11 octobre 2018, le décollage du *Soyouz* dans lequel prenaient place deux collègues astronautes de David a mal tourné. Heureusement Alexeï Ovchinin et Nick Hague s'en sortent indemnes. Après trois minutes de vol, le propulseur de la fusée s'est avéré défectueux et ils ont dû séparer la capsule de la fusée. Ils ont atterri en catastrophe.

Cet événement, qui aurait pu se transformer en tragédie, nous rappelle que les astronautes demeurent, malgré toutes les précautions prises, de véritables aventuriers. Ils sont prêts à risquer leur vie pour les avancées scientifiques de l'humanité.

Ce qui a causé cet incident n'est pas encore déterminé. David ne sait donc pas si son départ vers la Station spatiale aura lieu le 20 décembre 2018 ou s'il devra attendre plus longtemps pour prendre part à sa mission.

On peut imaginer qu'il profitera de ce délai pour continuer à s'entraîner afin de demeurer fin prêt à partir.

Viendra finalement le moment des adieux. Les astronautes devront quitter leurs proches environ deux semaines avant le décollage. Ils seront en période de quarantaine.

La veille du décollage, David pourra revoir une dernière fois Véronique ainsi que ses deux garçons et sa fille. Toutefois, il ne leur sera pas permis de s'embrasser ni de s'étreindre pour se dire au revoir. Les adieux se feront à travers une vitre.

Parce que les familles pourraient transmettre des maladies aux astronautes, tout juste avant leur départ pour l'espace.

Seuls les conjoints des astronautes peuvent les rencontrer à quelques reprises durant les semaines précédant le vol. S'ils contractent le moindre petit virus, les conjoints des astronautes doivent absolument le déclarer aux responsables et leur droit de visite leur sera alors retiré.

Les vrais adieux auront sans doute lieu tout près de la piste de décollage. Les membres des familles auront la chance de se dire au revoir à quelques pas les uns des autres. Cela leur permettra de se parler quelques minutes et de s'envoyer la main.

Les proches des astronautes sont par la suite conduits dans un endroit près de la piste de lancement. Les explorateurs de l'espace s'envoleront de la piste de Baïkonour, au Kazakhstan. De cet endroit, les membres des familles auront une des meilleures vues sur l'envol de la fusée *Soyouz*, qui transportera David vers son plus grand rêve, en compagnie de ses collègues.

Les proches pourront entendre le décompte des secondes avant le décollage. Lorsque les feux des moteurs seront en action, la terre tremblera tellement leur puissance est grande.

« *Ten, nine, eight, seven, six, five, four, three, two, one, lift off...* »

Ils seront trois astronautes ce jour-là à prendre place dans la fusée *Soyouz* : Anne McClain, Oleg Kononenko et David.

David attend avec joie sa première visite à la Station spatiale. Il a hâte d'y pénétrer et d'y retrouver Nick Hague et Aleksey Ovchinin, qui sont à la fois ses collègues et ses amis.

Il sait que la première chose qu'il fera sera de se rendre au plus grand hublot de la Station spatiale internationale, celui qui est le point central et que David nomme, à la blague, le « Berri-UQAM[10] » de la Station spatiale. Il a hâte d'y regarder la Terre de là-haut.

Enfin, ses efforts seront récompensés. Il pourra dire « Mission accomplie » ! Il aura réussi à vivre le rêve du petit garçon qu'il était.

---

10. La station Berri-UQAM est la plus achalandée de tout le réseau du métro montréalais. Elle est aussi la seule station qui relie trois lignes du réseau.

# ÉPILOGUE

## L'HÉRITAGE DE DAVID ET DE L'EXPLORATION SPATIALE

Tout comme les Jeux olympiques, l'exploration spatiale tend à rassembler les peuples. Depuis 1975, des dizaines de missions spatiales ont eu lieu et elles ont permis à plusieurs nations de travailler en étroite collaboration.

David se rappelle la première fois qu'il a vu les photographies de la Terre prises dans l'espace. Sur ces photos, la planète lui est apparue sans ses frontières. David souhaite que tous les humains agissent comme s'ils étaient frères et sœurs. Et si la paix sur terre était possible? La paix entre tous est toujours un de ses rêves.

La Russie, le Japon et les États-Unis étaient en guerre il n'y a pas si longtemps. Ces trois pays travaillent maintenant main dans la main sur toutes les missions de la Station spatiale. Au lieu de se faire la guerre, ils trouvent des façons de collaborer et de faire évoluer la science.

Comme on le sait, cette collaboration entre les peuples est d'ailleurs une des plus grandes fiertés de David. En fait, tous les astronautes partagent cette fierté. Tous vous diront qu'ils ont le sentiment de représenter l'humanité au complet, sans ses frontières et sous le signe de la paix.

Ils sont conscients, du même coup, de l'immense privilège que cela représente. Ils deviennent en quelque sorte des agents de rapprochements entre les pays. Ils créent de façon tangible des preuves que la collaboration entre les peuples peut devenir source de succès, d'évolution et d'harmonie.

# CHRONOLOGIE

1957      Le satellite *Spoutnik* est lancé en orbite par les Soviétiques. Il s'agit du premier objet placé en orbite autour de la Terre.

1957      La chienne Laïka, âgée d'environ trois ans, est placée en orbite autour de la Terre. Elle est le premier être vivant dans l'espace.

1958      Création de la NASA.

1961      Youri Gagarine est le premier homme à faire le tour de la Terre en orbite.

1963      Valentina Terechkova est la première femme à aller dans l'espace et à effectuer une orbite autour de la Terre.

1969      700 millions de téléspectateurs regardent en direct Neil Armstrong faire le premier pas sur la Lune.

**1970**      ***Naissance de David Saint-Jacques.***

1973      Mise en orbite de *Skylab*, premier laboratoire spatial.

1975      Apollo-Soyouz, première mission internationale, a lieu en orbite. C'est le premier « rendez-vous » spatial orchestré par les États-Unis et l'Union soviétique.

1981      Vol inaugural de *Columbia*, première navette spatiale en activité.

1986      Désintégration de la navette *Challenger* quelques secondes après son décollage.

1992      Roberta Bondar est la première Canadienne à aller dans l'espace.

| | |
|---|---|
| **1993** | *David obtient un baccalauréat en génie physique de l'École polytechnique de Montréal.* |
| 1998 | Début de la construction de la Station spatiale internationale. |
| **1998** | *David obtient un doctorat en astrophysique de l'Université de Cambridge.* |
| 2001 | Dennis Tito devient le premier touriste de l'histoire à visiter l'espace. |
| 2003 | Explosion tragique de la navette *Columbia*. |
| **2005** | *David obtient son diplôme de médecine de l'Université Laval.* |
| 2009 | Guy Laliberté, fondateur du Cirque du Soleil, visite la Station spatiale internationale. |
| **2009** | *David est recruté par l'Agence spatiale canadienne.* |
| 2011 | Vol ultime d'*Atlantis*, dernière navette spatiale en service. |
| **2013** | *David est capcom principal durant la mission Expedition 38.* |
| **2016** | *David est affecté à la mission Expedition 58/59.* |
| **2016** | *David entame sa formation spécialisée pour les missions spatiales.* |

# LES ASTRONAUTES CANADIENS DANS L'ESPACE

| NOM | MISSION | ANNÉE |
|-----|---------|-------|
| Marc Garneau | mission STS-41-G | 1984 |
| Roberta Bondar | mission STS-42 | 1992 |
| Steve MacLean | mission STS-52 | 1992 |
| Chris Hadfield | mission STS-74 | 1995 |
| Marc Garneau | mission STS-77 | 1996 |
| Bob Thirsk | mission STS-78 | 1996 |
| Bjarni Tryggvason | mission STS-85 | 1997 |
| Dave Williams | mission STS-90 | 1998 |
| Julie Payette | mission STS-96 | 1999 |
| Marc Garneau | mission STS-97 | 2000 |
| Chris Hadfield | mission STS-100 | 2001 |
| Steve MacLean | mission STS-115 | 2006 |
| Dave Williams | mission STS-118 | 2007 |
| Julie Payette | mission STS-127 | 2009 |
| Bob Thirsk | mission Expedition 20/21 | 2009 |
| Chris Hadfield | mission Expedition 34/35/36 | 2012 |

# MÉDIAGRAPHIE

**Livres**

EDWARDS, Roberta. *Who Was Neil Armstrong?*, New York, Grosset & Dunlap, 2008, 105 pages.

GRENIER, Christian. *Contes et récits de la conquête du ciel et de l'espace*, Paris, Éditions Nathan, 1999, 225 pages.

**Sites Web consultés**

AGENCE SPATIALE CANADIENNE. « Mission de l'astronaute David Saint-Jacques », [en ligne]. [http://www.asc-csa.gc.ca/fra/missions/expedition58-59/default.asp] (consulté en 2018)

MERCURE, Philippe. « La femme de l'astronaute », *La Presse +*, [en ligne]. [http://plus.lapresse.ca/screens/781a7dee-ea5e-4c35-b836-f25a1865eb-9d__7C___0.html] (consulté en 2018)

TRUDEL, Brigitte. « David Saint-Jacques, fin prêt pour le décollage », *Contact*, [en ligne]. [http://www.contact.ulaval.ca/article_magazine/david-saint-jacques-fin-pret-pour-le-decollage/] (consulté en 2018)

## LES COLLABORATEURS

Curieux de nature, **Alexandre Provost** a toujours aimé apprendre. Enfant, il lisait tout ce qui lui tombait sous la main. Encore aujourd'hui, il lit de tout : BD, romans policiers, biographies, romans historiques... C'est pourquoi il a fait des études en journalisme et en littérature. Maintenant, il travaille dans le domaine des affaires au sein de l'entreprise que sa famille a fondée. Il est marié et papa d'un garçon et d'une fille qui aiment beaucoup la lecture, tout comme lui !

**Félix Girard** fait de l'illustration professionnelle depuis plus de dix ans. Il a grandi dans une famille d'artistes près de Québec, où il est retourné s'établir après quelques séjours en Europe (France et Finlande). Il a publié de nombreuses fois à titre d'auteur et d'illustrateur au Québec, en Ontario et en Europe (plus de quinze titres depuis 2014) et a participé à plusieurs projets d'art et d'illustration d'envergure au cours des dernières années avec des clients prestigieux. Il a exposé ses œuvres principalement à Québec, à Montréal et à Toronto.

# TABLE DES MATIÈRES

# DANS LA MÊME COLLECTION

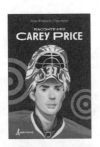

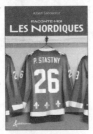

RACONTE-MOI
**CÉLINE DION**

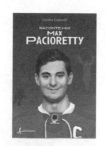

RACONTE-MOI
MAX
**PACIORETTY**

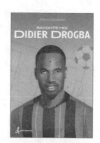

RACONTE-MOI
**DIDIER DROGBA**

RACONTE-MOI
LE MÉTRO DE
**MONTRÉAL**

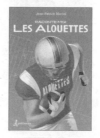

RACONTE-MOI
**LES ALOUETTES**

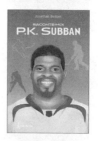

RACONTE-MOI
**P.K. SUBBAN**

RACONTE-MOI
**MARTIN MATTE**

RACONTE-MOI
LES SŒURS
**DUFOUR-LAPOINTE**

RACONTE-MOI
**L'EXPO 67**

RACONTE-MOI
MONTRÉAL

RACONTE-MOI
PIERRE LAVOIE

RACONTE-MOI
YAN ENGLAND

RACONTE-MOI
JEAN BÉLIVEAU

RACONTE-MOI
RUSSELL MARTIN

RACONTE-MOI
LA BATAILLE
DES PLAINES
D'ABRAHAM

RACONTE-MOI
XAVIER DOLAN

RACONTE-MOI
MARIE-PHILIP
POULIN

RACONTE-MOI
FÉLIX LECLERC

RACONTE-MOI
LES EXPOS

RACONTE-MOI
LANCE STROLL

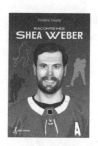

RACONTE-MOI
SHEA WEBER

RACONTE-MOI
CHANTAL
PETITCLERC

RACONTE-MOI
KENT NAGANO

RACONTE-MOI
DAVID
SAINT-JACQUES

## Suivez-nous sur le Web

Consultez nos sites Internet et inscrivez-vous à l'infolettre
pour rester informé en tout temps de nos publications et
de nos concours en ligne. Et croisez aussi vos auteurs
préférés et notre équipe sur nos blogues !

EDITIONS-PETITHOMME.COM
EDITIONS-HOMME.COM
EDITIONS-JOUR.COM
EDITIONS-LAGRIFFE.COM
RECTOVERSO-EDITEUR.COM
QUEBEC-LIVRES.COM
EDITIONS-LASEMAINE.COM

Imprimé chez Marquis Imprimeur inc.
sur du Rolland Enviro, contenant 100%
de fibres postconsommation et fabriqué à partir d'énergie biogaz.
Il est certifié FSC®, Procédé sans chlore,
Garant des forêts intactes et ECOLOGO 2771.